COLLECTION POÉSIE

JEAN TARDIEU

L'accent grave
et l'accent aigu

POÈMES 1976-1983

Formeries
Comme ceci comme cela
Les tours de Trébizonde

Préface de Gérard Macé

nrf

GALLIMARD

JEAN TARDIEU CLAIR-OBSCUR

« *La première personne du singulier* » : *il suffit d'inscrire ces mots en toutes lettres sur la couverture d'un livre, comme l'a fait Jean Tardieu, pour que la personne en question ne soit plus la première, contenue dans une formule purement grammaticale, mais devienne en quelque sorte une tierce personne, mise à distance et prise dans une singulière illusion de perspective.*

Fils de rien, figurant, orphelin, selon le titre de quelques-unes de ses proses, l'auteur avoue du reste : « *J'étais (tout en n'étant pas !) j'étais on ne sait quoi de béant et d'illimité, de mélancolique et d'avide, quelque chose comme rien. Je n'aurais donc pas pu dire " Je ", comme je le dis aujourd'hui avec l'accent confortable d'un individu particulier.* » *Et le livre entier est une confession impossible, souvent burlesque et grave quelquefois : en somme une difficile déclaration de naissance, car le sujet est aux prises avec une parole qui ne lui appartient pas, un nom qu'il lui faut adopter, un murmure qui lui parvient à travers l'épaisseur des murailles et des siècles, quand il ne se contente pas d'écouter* « *le silence d'une signification antérieure et parfaite* », *dans la nostalgie d'un état où le regard et l'ouïe n'étaient pas encore séparés.*

Nulle rêverie vague, nulle méditation métaphysique à ce propos, mais l'apparence d'un souvenir qui prend la précision du fantasme, dans une enfance revécue avec assez de force pour que La première personne du singulier *commence ainsi : « À l'âge de sept ou huit ans, je n'étais pas admis à entrer dans le salon, quand ma mère recevait... » Le récit tourne court aussitôt, et le pastiche du même coup : nous ne saurons pas si l'enfant qui devait plus tard signer Jean Tardieu s'est longtemps couché de bonne heure, mais nous savons dès lors d'où vient une blessure qui deviendra lézarde à travers tout l'édifice du langage, une ligne brisée qui court d'un livre à l'autre, bref le vide sonore qui s'entend dans la plupart des poèmes de Jean Tardieu, et qui en fait des dialogues de sourds. Car c'est au travers de plusieurs cloisons, et par l'intermédiaire d'un « tuyau acoustique », que l'enfant exilé peut saisir, sinon des paroles, du moins la musique des conversations : « Seul le timbre des voix montait jusqu'à moi : les intonations ronronnantes du visiteur alternaient avec le chantonnement aigu de la voix de ma mère : " Ils ne disent rien du tout, pensai-je au comble de la joie, ils font semblant de parler* [1] *! " »* L'œuvre de Jean Tardieu, qui du langage donne à entendre avant tout l'air et la chanson, tend donc à prouver qu'on écrit selon l'écoute qu'on eut jadis, et que le silence n'est pas le même d'un écrivain à l'autre.

Écrire, cette activité d'insomniaque ou de somnambule en plein jour, c'est « dessiner et faire entendre », dira Jean Tardieu dans Obscurité du jour [2], *comme s'il s'agissait par ce geste étrange, emprunté à l'enfance de*

1. *La première personne du singulier*, Gallimard, 1952, pp. 10-11. Repris dans *La part de l'ombre*, « Poésie/Gallimard », 1972, p. 96.
2. Skira, Genève, coll. « Les sentiers de la création », 1974.

l'art, de colmater une brèche, voire de réunir un couple. Un peu plus loin dans le même livre, le mélange d'une forme et d'un son est décrit comme « une sorte de naissance ». Et dans un poème sous-titré Naissance de cent mille Vénus [3], on trouve ces trois vers :

> dans un sens ou dans l'autre
> longtemps hésita le passage
> de l'ouïe au regard

Le poème seul permet parfois de réunir (mais sans effacer la contradiction) « les images qui chantent et les musiques muettes », de soulever les lames du parquet, d'écouter et se taire pour entendre le soupir des dieux étouffés, le murmure des monstres ou les craquements des meubles — de prêter l'oreille, derrière la cloison, au frou-frou d'une mère dont on se demande si elle est maritime ou maternelle, musicienne en tout cas.

Toujours dans La première personne du singulier (précisément dans le chapitre IV des « Trois souvenirs d'un figurant »), on trouve même une porte derrière laquelle on entend la mer : « C'est comme le léger froissement d'une robe à l'ancienne mode ou d'un jupon garni de beaucoup de volants et de dentelles, un frisson insistant et cérémonieux. Puis le bruit s'amplifie, comme s'il y avait maintenant non plus une seule femme, mais dix, mais cent, mais cent mille qui, se déshabillant toutes ensemble, lancent leur linge en paquets contre la porte et la font trembler sous le choc. » En continuant sur cette pente on pourrait citer un poème plus explicite encore, bien que faisant partie des Histoires obscures, le poème intitulé Le jeune

---

3. « C'est là », in « Frontispice et triptyque du mortel été », p. 35 du présent volume.

homme et la mer[4], *si le double ironique de Jean Tardieu ne nous tirait par la manche, le professeur Fræppel qui écrit dans son journal intime : « Si racontant un voyage en bateau, j'écris : " La mer était houleuse ", il est bien évident que mon inconscient entend comparer la tempête sur l'océan à l'agitation d'une mère en proie aux douleurs de l'enfantement. Si j'acris : " la moer " était " mouleuse ", je veux, par cette belle allitération, évoquer à la fois le vol des mouettes et les rochers couverts de moules[5]. »*

Par bonheur, les mots sont quelquefois aussi légers que les portes de toile qu'ils soulèvent, et quand Tardieu entreprend une variation à partir des autoportraits de quatre pères de la peinture[6], c'est tout naturellement qu'il trouve le miroir de Rembrandt « maestoso », celui de Corot « largo », celui de Rubens « allegro », et celui de Van Gogh « furioso »...

*Mais l'accord ne saurait être prolongé, et la dissonance revient aussitôt entre « la vue qui approche de la cécité » et « les sons qui déchirent le tympan ». Toute l'œuvre de Jean Tardieu semble naître de cette faille et de cet écart : son théâtre en particulier, du décor vide d'*Une voix sans personne *à la confusion délirante d'*Un mot pour un autre, *se joue sur une scène proprement primitive. Le drame bourgeois, anodin en apparence, qui sert de toile de fond à la plupart des pièces de Jean Tardieu, est en réalité un décor familial très véridique, et la convention d'époque sert ici à masquer fantasmes et souvenirs à demi inventés : « Je ne peux entendre parler un être humain à travers une porte qui masque ses paroles sans être saisi d'une insupportable angoisse. »*

4. *Le fleuve caché,* « Poésie / Gallimard », 1968, pp. 232-233.
5. *Le Professeur Fræppel,* Gallimard, 1978, pp. 20-21.
6. *Une voix sans personne,* Gallimard, 1954, p. 115.

C'est cette angoisse que Jean Tardieu a tournée en ridicule, qu'il a attaquée par le rire, en feignant de croire que les monstres peuvent être réduits par le langage, ce fétiche qu'il vénère et qu'il brise comme toute idole, parée tout de même d'un semblant de vérité, mais pour découvrir à la fin que la vérité est un mot-valise, ou que le fin mot de notre histoire est imprononçable [7]. De même, il n'a cessé de nous dire, et sur tous les tons, qui se cache derrière la cloison : Elle et Lui, mais ce sont des êtres sans visage et sans nom, dont l'absence même est encombrante, car le mystère dont ils s'entourent n'arrive pas à les dissimuler tout à fait. Elle, elle est invisible et intouchable comme les sons. Lui, pronom affecté d'une majuscule et parfois écrit en capitales, souvent confondu avec un visiteur, un étranger, un intrus, c'est un personnage solaire et assassin. Au nom d'autant plus imprononçable qu'il contient peut-être, en sa finale, celui d'un dieu révolu.

Si j'ajoute maintenant ce que savent tous les amis de Jean Tardieu, et tous ses lecteurs attentifs, à savoir que son père était peintre et sa mère musicienne, je sais que je n'aurai rien dit de plus, car la biographie n'est ni la source ni l'embouchure — tout juste le lit défait du jour, les draps du songe où roule un fleuve caché.

L'image du fleuve caché, dont Jean Tardieu nous a dit lui-même à quel point elle a marqué toute sa vie (entre la présence et l'absence), pourrait être une image chinoise, appartenant à la peinture aussi bien qu'à la poésie. Qu'on ne croie pas à un jeu de l'esprit, comparaison abusive ou complaisance, car il y a plus chinois encore dans l'œuvre de Jean Tardieu : je veux

7. Cf. « La vérité sur les monstres », p. 165-175 du présent volume.

parler de son attention aux mots vides[8], au dualisme actif qui est le moteur du monde (sens dessus dessous, comme ceci comme cela), à la présence agissante du Rien qui n'est pas tout à fait néant...

De tous les poètes de son temps, Tardieu est celui qui s'est le plus défié de la métaphore (qui donne à toute chose une plénitude parfois redondante et ridicule), ou du moins qui en a usé avec humour ou discrétion, pour nommer sans se payer de mots un petit nombre de réalités élémentaires, pour s'intéresser aux mots usés jusqu'à la trame (et qui laissent voir le jour au travers), aux « mots rayés nuls » (qui de la marge des contrats sont passés au cœur des poèmes), aux conjonctions (qui peuvent « créer un trouble de la logique »), quand ce n'est pas à la pure et simple conjugaison (pour ce qu'elle contient « de dramatique et presque de sacré[9] »). Autant d'abolis bibelots dont le métal insignifiant donne au poème sa musique muette, écho de chocs invisibles dans l'espace aérien de la page. Quand Tardieu avoue sa fascination pour le Coup de dés mallarméen, c'est d'ailleurs pour conclure : « Une nuit incomparable envahit les pages et ce sont les mots qui sont les " blancs " », avant d'ajouter : « Mais j'imagine aussi ce que doit être la complète satisfaction de l'œil, de l'oreille et de l'intelligence, chez un Chinois ou un Japonais amateur de poèmes[10]. »

Le beau titre de Jean Tardieu, Obscurité du jour, semble à première vue prolonger la remarque fameuse

8. Je ne peux que renvoyer à ce qu'en dit François Cheng dans L'écriture poétique chinoise (Seuil, 1977). Disons cependant que les mots qu'on appelle « vides » en chinois, et qui ne le sont pas plus que d'autres, correspondent à peu près aux outils grammaticaux de la phrase, le plus souvent en français conjonctions et prépositions, que Jean Tardieu met précisément en valeur.

9. Obscurité du jour, p. 89.

10. Ibid., p. 62.

de Mallarmé, dans Variations sur un sujet : « À côté d'ombre, opaque, ténèbres se fonce peu ; quelle déception, devant la perversité conférant à jour comme à nuit, contradictoirement, des timbres obscur ici, là clair[11]. » Mais au lieu de chercher une solution qui « rémunère le défaut des langues », ou de voir la contradiction résolue dans la métaphore ou l'élaboration du rêve, comme Borges et Freud lisant tous deux les travaux du linguiste Abel le bien nommé[12], Tardieu préfère montrer le défaut du doigt, et se tenir comme un funambule au-dessus du vide, entre le rire et l'angoisse, la lumière et l'ombre, en équilibre instable sur ce fil invisible auquel tient notre vie.

Les soupirs, les silences dans le langage et dans l'opacité des choses, sont au cœur du poème l'écho du vide et sa présence active. Or la négation (l'interrogation à un moindre degré) est le mode même de la poésie chez Jean Tardieu. Qu'on pense à des titres de poèmes ou de livres (presque au hasard : « Le témoin invisible », « Les dieux absents », « Je dissipe un bien que j'ignore », « Non ce n'est pas ici », « Nous n'irons pas plus loin », « Il ne répond même plus », « Ni l'un ni l'autre », « Objets perdus », etc.), à la môme Néant et à monsieur Monsieur, aux « verbes en creux » ou à ce mot de « Personne » qui résume en deux syllabes, et dans le même instant, l'apparition de l'être et sa

11. *Œuvres complètes*, Pléiade, p. 364. Repris dans *Divagations*, « Poésie/Gallimard », 1976, p. 245.
12. « Selon les théories d'Abel sur la naissance du langage, le même son — à l'origine — embrassait les termes contraires d'un même concept, tous deux se présentaient simultanément à l'esprit, en vertu de la loi d'association » (Borges, *La métaphore*).
« J'ai été amené à comprendre cette singulière tendance que possède l'élaboration du rêve à faire abstraction de la négation et à exprimer par une même représentation des choses contraires, en lisant par hasard un ouvrage d'Abel » (Freud, *Des sens opposés dans les mots primitifs*).

disparition : *vocables qui appartiennent à un monde sans dieu ni dogme, expression du « Vide sauveur », du « Vide où tout recommence ». Même, ou surtout, si le commissaire-priseur n'adjuge rien d'autre que son vain bavardage, l'humour de Jean Tardieu est peut-être taoïste, comme celui de Raymond Queneau en plus d'une occasion.*

Du trouble qu'éprouve Jean Tardieu devant l'ins-cription éternelle et mouvante du Rien, devant la preuve négative qui est la seule évidence, Comme ceci comme cela *donne un exemple plein de sens : pour écrire* La fête et la cendre, *sous-titré « Lamento en quatre parties* [13] *», Tardieu s'est inspiré d'un article de journal racontant comment, au cours de fouilles récentes à Pompéi, on a pu remodeler un homme et une femme morts ensemble, à partir de l'empreinte qu'a-vaient laissée leurs corps : ce qui fascine Tardieu est donc moins la survie de ce couple que sa forme en creux, sa présence entre la pierre et l'oubli.*

Aussi n'est-on pas étonné de voir comment apparais-sait ce nom qui nous importe, et fait pour briller au-dessus des mots *vides comme des autres, dans les deux derniers vers du recueil intitulé* Accents *(1939) :*

elles sont venues trop *tard* et, désespérées, elles se taisent :
il n'est même plus temps pour LUI dire *adieu !*

Le crépuscule et l'obscurité du jour, la divinité taciturne étaient donc déjà dans ce nom :

TARDIEU
que nous tâchons ici de décrire de face, de profil et de trois quarts.

Gérard Macé

---

13. P. 109 du présent volume.

FORMERIES

Pour ce recueil en apparence composite, mais où les mêmes obsessions se font jour et où la hantise formelle est partout présente, je n'ai pas su trouver de meilleur titre que celui de Formeries.

Ce pluriel est inventé, mais le mot, au singulier, existe. C'est le nom d'un village, sur les « hauts » de l'Oise normande. Les traits principaux de ce pays sont (comme certaines des pages qui suivent) la nudité des lignes et la rigueur du climat : tout ce qu'il faut pour chercher quelque chose qui soit en même temps ici et ailleurs.

Enfin ce nom de lieu commence par le mot « forme » et finit par une désinence dont la gentillesse un peu archaïque, un peu paysanne, rappelle l'ancien terme danceries, évocateur à la fois des conventions de la musique et des libertés communales. Ces allusions superposées me convenaient.

Poèmes pour la main droite

OUTILS POSÉS SUR UNE TABLE

Mes outils d'artisan
sont vieux comme le monde
vous les connaissez
Je les prends devant vous :
verbes adverbes participes
pronoms substantifs adjectifs.

Ils ont su ils savent toujours
peser sur les choses
sur les volontés
éloigner ou rapprocher
réunir séparer
fondre ce qui est pour qu'en transparence
dans cette épaisseur
soient espérés ou redoutés
ce qui n'est pas, ce qui n'est pas encore,
ce qui est tout, ce qui n'est rien,
ce qui n'est plus.

Je les pose sur la table
Ils parlent tout seuls je m'en vais.

INTERROGATION ET NÉGATION

Vous ? Moi ?
Non, personne
personne jamais
non vraiment personne jamais.

Comment ? Ni où,
ni quoi,
ni comment ?

Non vraiment personne jamais
nulle part
rien ni personne
jamais
non jamais
jamais jamais jamais
jamais
jamais
non, jamais.

SONS EN S

La Saveur
la Sévérité
le Souffle

Le Séjour
le Secret
la Suie

       Je rejette le Soleil le
       Supplice le Serpent le
       Sarcophage Socrate Samson
       Sisyphe et caetera en
       tas dans un coin de
       la page.

PARTICIPES

Enfui
transmis
jeté
perdu.

Noyé
sauvé
surgi
promis.

Flétri
caché
nié
repris.

Tombé
frappé
brisé
brûlé.

Décomposé.

ÉPITHÈTES

Une source — corrompue
Un secret — divulgué
Une absence — pesante
Une éternité — passagère
Des ténèbres — fidèles
Des tonnerres — captifs
Des flammes — immobiles
La neige — en cendre
La bouche fermée
Les dents serrées
La parole niée
muette
bourdonnante
glorieuse
engloutie.

CONJUGAISONS
ET INTERROGATIONS I

J'irai je n'irai pas j'irai je n'irai pas
Je reviendrai Est-ce que je reviendrai ?
Je reviendrai je ne reviendrai pas

Pourtant je partirai (serais-je déjà parti ?)
Parti reviendrai-je ?
Et si je partais ? Et si je ne partais pas ? Et si je ne
    revenais pas ?

Elle est partie, elle ! Elle est bien partie Elle ne revient
    pas.
Est-ce qu'elle reviendra ? Je ne crois pas Je ne crois pas
    qu'elle revienne
Toi, tu es là Est-ce que tu es là ? Quelquefois tu n'es pas
    là.

Ils s'en vont, eux. Ils vont ils viennent
Ils partent ils ne partent pas ils reviennent ils ne
    reviennent plus

Si je partais, est-ce qu'ils reviendraient ?
Si je restais, est-ce qu'ils partiraient ?
Si je pars, est-ce que tu pars ?
Est-ce que nous allons partir ?
Est-ce que nous allons rester ?
Est-ce que nous allons partir ?

CONJUGAISONS
ET INTERROGATIONS II

Nous restons où nous sommes
Nous restons où nous sommes arrivés.

Pourtant nous ne restons pas là où nous sommes
Nous ne restons pas où nous sommes arrivés.

Là où nous sommes tantôt nous restons, tantôt non.
Là où nous ne sommes pas arrivés, tantôt nous restons
tantôt nous ne restons pas (nous partons).

Là où nous sommes venus il se peut
Que nous restions il se peut que nous ne restions pas.

Là où tu es venu, resteras-tu ?
Ne cesseras-tu de partir, au lieu d'arriver, de rester ?
Ne finiras-tu pas d'arriver
et tantôt de rester et tantôt de partir ?

Toi qui restes, penses-tu ne jamais partir ?
Toi qui pars, saurais-tu, pourrais-tu rester ou revenir ?
Est-il possible à la fois de rester de partir,
de ne pas rester de ne pas partir ?

Tout est dissemblable tout se ressemble
ce qui part ce qui reste
ce qui est ce qui n'est pas
Ce que l'on dit a trop de sens n'a pas de sens.

QUELQUES MOTS
SENS DESSUS DESSOUS

Négation

Pleuvoir n'est pas mentir
Sauver n'est pas dissoudre
Gravir n'est pas renaître

L'ombre n'est pas le cheval
Le regard n'est pas le torrent
Le portail n'est pas la surprise
Le couperet n'est pas la chambre

Affirmation

L'ombre c'est pleuvoir
Mentir c'est le regard
La surprise c'est la chambre
Le portail c'est le couperet
Gravir c'est sauver c'est renaître

Je ferai pleuvoir l'ombre
et le regard mentir
quand nos pas dans la chambre
seront le couperet.

DEUX VERBES EN CREUX

J'écoute je me tais
Je me tais pour écouter,
(pour mieux écouter),
Je me tais parce que j'écoute
Si je ne me tais pas je n'écoute plus

(Taisez-vous !
Taisez-vous et écoutez !
Écoutez-le se taire
Il se tait il se taira !
vous l'écouterez.)

Si j'étais celui qui écoute
seulement pour écouter
si j'étais celui qui se tait
simplement pour se taire
vous ne cesseriez d'écouter
vous auriez peur que je me taise

Mais je ne me tais pas non je ne me tais
pas encore. Je ne pourrai jamais
me taire. Je ne cesse pas d'écouter.

COMMENCEMENT ET FIN
(Fugue sur deux substantifs)

Le commencement
ne s'arrête pas
et la fin ne cesse

Ton sang tu l'oublies,
ce commencement.
Ce qui passe en toi
et n'a pas de fin
tu ne l'entends plus.

Au commencement
torrents et volcans,
à la fin des fins
le ciel et la mer.

Si tu comprenais ?
Si tu commençais ?
Si c'était la fin ?

Tu crois que le monde
vient de commencer
tu crois que le temps
n'aura pas de cesse

Admire la fin
du commencement
adore le jour
adore la nuit
qui t'ont dévoré.

Frontispice
et triptyque du mortel été
(Quatre phrases découpées)

Dans les langues dites « évoluées », la phrase est, on le sait, un organisme, un être complexe doué de fonctions vitales distinctes, bref une sorte de mammifère supérieur, avec ses organes de respiration (les conjonctions), de préhension (les substantifs), de propulsion (les verbes, les adverbes), son chatoyant pelage (les adjectifs), etc.

Et voici. Les trois poèmes de ce triptyque, précédé d'un frontispice, ne sont, en fait, que quatre phrases, chacune fortement articulée, chacune ayant son ascension, son point culminant et sa retombée, chacune comptant un nombre inusité de mots : quelque chose comme un animal atteint de gigantisme.

Cependant, sans qu'elle perde son unité, chacune de ces longues phrases a été découpée en alinéas (plutôt qu'en « vers » proprement dits) selon un dessin conforme au ton intérieur et au rythme vocal, afin de ménager des pauses de lecture (à voix basse ou à voix haute), ainsi que quelques ruptures ou effets, analogues à ce que l'on nommait « enjambements » dans la versification classique de la poésie française.

Le mot été, *dans le titre, est un jeu. C'est la saison, mais c'est aussi le verbe* être, *au participe passé.*

FRONTISPICE

(Pourquoi sinon)

Pourquoi
sinon
pourquoi chercher
sinon dans le vol indécis des nuages
non pas la métaphore seule
ou l'enfantin symbole mais
le sens même et le non-sens
et que faut-il craindre en vivant sinon
la foudre affreusement imitée
par la guerre et par
le conflit incessant des choses
et que faut-il enfin révérer
sinon la récompense indue
de voir d'entendre de toucher
à profusion le jour et l'ombre
ou le plaisir d'être debout
et de fouler le sol
du sable à l'herbe et de la feuille
au pavement et si parfois
nous vient la faiblesse mortelle
d'imaginer des personnes immenses
d'abord à notre image façonnées
puis s'effaçant dans l'improbable
alors c'est nous c'est nous-mêmes

33

orgueil et délire
c'est nous c'est nos propres reflets
qu'il nous faut dérisoire prière invoquer
car rien n'est plus sacré que
notre énigme pas à pas
et marche après marche obstinée
à gravir les
degrés de ce temple en mouvement
qui n'est autre
que l'aurore
à l'absolu calcul obéissante
et la nuit
à nos yeux de voyants aveugles révélée
hors des saisons de notre vie
et bien au-delà des
tourbillons du système des mondes
et plus loin confondant
tout l'effort de notre esprit
et tous les termes du
langage et la mesure
et la limite par la vitesse
à tous les vents de l'espace jetés
pour que règne
le temps révolu
et que la conscience
à son retour dans
l'être sans figure s'accoutume
puisque notre faiblesse démente
est pareille au passage des jours pareille
aux troupeaux affolés par l'orage pareille
à la parole trébuchante et
renversée et que dirai-je
encore de plus
sinon pourquoi?

I

C'EST LÀ

(Naissance de cent mille Vénus)

Sur l'eau pas encore séparée de la nuit
d'abord se forma peu à peu
le rassemblement des rumeurs qui
au fur et à mesure de l'insertion de l'aube
entre les éléments s'animèrent
en un profond et large buisson de
clartés frissonnantes
et si
dans un sens ou dans l'autre
longtemps hésita le passage
de l'ouïe au regard
ce n'est pas
que l'on eût la peur ni la souffrance
d'un subit éblouissement
ni le désir de mieux entendre ni
le besoin de fermer les paupières
pour mieux posséder en soi-même
les multiples reflets du dehors mais bien
pour assouvir dans la lumière
la souveraine joie
de créer l'être jamais vu
capable enfin
d'osciller entre deux mondes oui
je dis bien oui cet unique oui ce double

animal amphibié attiré
tout autant par le retour au flux natal
que par l'espoir de vaincre à la
surface de l'air frais
la pesanteur
fardeau insupportable (pourtant la seule preuve)
et quand
je vins plus près
déjà
la narine éveillée à l'embrun à la
senteur salubre du varech
c'est là
c'est bien là c'est alors
c'est là que le choc m'atteignit en plein ventre
d'une palpitation de bras et de seins
puis de cuisses de reins et de croupes
par les lueurs par l'ombre et par l'ambre
à la pleine faveur des volumes haussés puis offerts
quand tout à coup le rire
à nouveau (autant de criailleries
de mouettes s'envolant) parut désigner
l'oblique plan d'intersection
ombre vallon forêt
où puisse à l'infini d'une houle soulevée
de temps forts et temps faibles
cris de gorge et soupirs
se porter aux abords puis au fond
le désir assouvi renaissant
cependant qu'à la cime des chênes
à mille bras eux aussi condamnés
refluait la renaissante aurore
sans cesse dans la vague tour à tour
plongée et retirée
tordue et secouée
pour enfin renverser dans le songe et dans
la paix

autant de formes ici au
superbe tourment de survivre soumises
sans aucun effroi ni péché
ni regrets ni envie
pas plus que n'est menacé de je ne sais
quel immémorial tourment
le plaisir de l'or des rayons
glissés dans la
confidence heureuse des sous-bois
pas plus
que n'est caché à l'œil montant du
jour
l'amoncellement des oiseaux migrateurs
sur les terrasses des falaises ni
le hurrah
du triomphe dans le stade
bien au-dessus de
ce petit personnage seul en bas
qui s'évertue et atteint
la limite
à bout de souffle comme moi.

II
C'EST À DIRE

(Le bruit qui n'est pas entendu)

*Pour Fernand Dubuis, qui a enrichi
ce texte de couleurs rares aux harmo-
nies inattendues.*

Au tournant du verbe
accablé de masques
dont l'être intermittent
parfois surgit
lampe éphémère
pour que renaissent
les ténèbres
en vain refoulées
parfois plonge à l'oubli définitif
recours
depuis l'origine inconnue
jusqu'au-delà du futur
où tant de douleurs
enfin pétrifiées seront
c'est-à-dire
ne seront plus
voici pour le veilleur
ensommeillé
l'écho qui s'interroge
au-dehors sans répondre

le sifflement de l'ennemi
sous la porte
peut-être la clé
perdue
ou du moins ce mince fil
conducteur de vocables
mais pour qui mais pourquoi
s'il n'est rien
s'il s'enroule inutile
à l'index
ou s'il
retentit solitaire
ou s'il est incapable
de révéler autre chose
que sur le sol
à l'ombre de l'été
ce peu de traces
d'un passage
ou le bruit qui n'est pas entendu
ou les couleurs légères
de l'averse que le soleil
dispense à l'ennui
du littoral
lorsque tout espoir
et tout mal
évanouis
le sable
entonne le tumulte
les cris les rires
la blessure
et le silence même
dans une tête
aux dents serrées
inutile témoin
sur l'astre feu
lentement refroidi

d'être là
et ainsi et ainsi
et toujours
et si vous voulez
que je m'arrête
donnez-moi le mot
sinon — sans fin

je continue.

III

COMME BIENTÔT

(Grains de sable les étoiles)

Comme
j'entends déjà
mourir ma raison ma mémoire
dans les chantiers déments de l'avenir
soit que j'ouvre la porte
ou que je la referme sur
l'obscurité qui m'enfante et qui m'efface
et qui livre au néant radieux le réel
toujours promis aussitôt dérobé
bientôt
ne seront plus les signes de tous noms
que grains de sable au fond des arches creuses
où fut le tendre globe de nos yeux et où
circule et se dérobe nu
le solitaire espace
et sonneront les sons des mots
toujours repris et déformés de bouche en bouche
et déjà dans ma voix
depuis longtemps
ils se sont sans rien
dire entrechoqués jusqu'à
l'éclatement
et redisant et redisant rabâchent
un seul époumoné murmure

car c'était toi oui c'était moi
l'un qui profère l'autre se tait
l'un qui parle et l'autre entend
et si c'est lui c'est aussi moi
c'est vous aussi mais nul ne vient nul n'apparaît
pour interrompre ou désigner
l'origine et la fin sinon
cet astre obtus porté vers l'astre
et cent mille qui viennent
vers cent mille autres qui s'en vont
en s'enfonçant dans cette nuit
inconcevable
où le miracle me fascine m'éblouit
me fait vivre me tue
mais sans remède

                    je me tais.

                              (1972-1974.)

Dialogues typographiques

LE FLEUVE SEINE

*Pour Roger Vieillard, à qui ce texte a
inspiré une gravure magistrale.*

En haut et à gauche de la page.
Un épais carré noir. Des épis
dressés. Au coude à coude.
Depuis un an, deux ans peut-
être je suis aux prises avec cette
multitude obscure. Oui, dans le
coin à gauche et en haut de la
page, il y a une foule immobile,
parfaitement immobile, qui
regarde et qui se tait. Elle
attend quoi ? C'est sur le bord
de la Seine. Une place où abou-
tissent les avenues du vacarme.
Mais là, tout est silencieux, —
même cette foule immobile,
serrée, qui regarde et qui
attend.

*Ailleurs il y aura des siècles
dans ma vie. Des chants de
bergers sur les collines. Mais*

*pourquoi parler au futur?
Voici le temps d'à présent. Plus
réel. Plus irréel aussi. Je vois les
choses transparentes. Tout ce
qui bouge est transparent à ce
qui demeure. Sur les berges de
la Seine je suis enchaîné pour
toujours à ces anneaux de fer
scellés dans la paroi des quais.
Je ne bougerai plus de là avant
la fin des temps !*

Je les ai vus je les vois chaque
jour. Aux heures où le cœur des
machines s'arrête de battre, un
flot d'hommes et de femmes
sort de toutes les bouches des
immeubles. Le sang noir des-
cend vers les canaux souterrains. Tous ces vivants qui
s'engouffrent sous la terre !
C'est à celui qui descendra le
plus vite. Remonteront-ils du
côté du jour ? Qu'est-ce qu'on
appelle « demain » ?...

*À la surface une nuit d'encre
coule sous les ponts. Les
lumières tremblent dans les
reflets. C'est toujours la même
ville. Comme j'ai vécu longtemps !... Je revenais du pays
des vacances. Octobre. J'avais
huit ans. J'entends le sabot des
chevaux de fiacre. D'abord le
son des pavés de bois. Puis, un*

44

ton plus haut, celui des pavés de pierre. J'écoute. Revenu, reparti, chargé, les mains vides! Sur mes pas, toujours sur mes pas!

Ô masse énorme des vivants qui me tire la nuit hors du sommeil, qu'ai-je fait pour toi? Quel est mon pouvoir? Ah! que je voudrais savoir si j'ai payé ma dette! L'un d'eux, hors de l'ombre s'avance. Sur le devant de la place. La lumière en plein le fait surgir et — tant elle est intense — abolit ses traits. Que fait-il? Il crie! Que dit-il? Je ne distingue pas un mot... Il crie encore, il s'arrête et regagne l'ombre.

Je rêve que j'étais. Suis-je encore, ou non? Puisque j'étais déjà dans ma mémoire?... Je le savais je survolais le temps futur. Je me souvenais... D'un sommeil dans l'autre je plonge. Le songe du travail! Le songe du réveil! Le songe des regards dans la lumière.

C'était un peu après l'aube. La pâleur et l'ombre, couteaux obliques, tranchaient les hautes maisons! J'entendis murmurer. Que disait-on? Cela ne

45

bougeait pas, mais cela sifflait et murmurait. Peut-être même on chantonnait. Dans le poudroiement du soleil je ne distinguais plus si la foule était encore là, compacte, ou si elle avait disparu, dévorée par le temps, par le jour...

Où se passe l'aventure de notre vie? Ô présence! Ô disparition! J'ai vu des arbres noirs, en rangs serrés, courir vers leur tombeau. Ô fleuve! Ô vie! Ô mort!

VERBE ET MATIÈRE

J'ai je n'ai pas
J'avais eu je n'ai plus
J'aurai toujours

> *Un béret Un cheval de bois Un jeu de construction Un père Une mère Les taches de soleil à travers les arbres Le chant du crapaud la nuit Les orages de septembre.*

J'avais je n'ai plus
Je n'aurai plus jamais

> *Le temps de grandir, de désirer. L'eau glacée tirée du puits Les fruits du verger Les œufs frais dans la paille. Le grenier La poussière Les images de femmes dans une revue légère Les gifles à l'heure du piano Le sein nu de la servante.*

Si j'avais eu
J'aurais encore

La fuite nocturne dans les astres
La bénédiction de l'espace
L'adieu du monde à travers la clarté La fin de toute crainte de tout espoir L'aurore démasquée Tous les pièges détruits Le temps d'avant toutes choses.

COLLOQUE DE SOURDS

Je sortirai de moi-même. Oui
je partirai. Je porterai secours.
Je me sacrifierai.

> *Si tu choisis (même le bien,*
> *même la paix) tu engendres le*
> *massacre.*

Vois ce visage de femme
Écoute la musique Réjouis-toi
des couleurs !

> *La mort est dans nos racines ;*
> *sans elle, rien ne vit.*

J'aime la vérité. J'irai au bout
du vrai.

> *Es-tu bien sûr de toi ?*
> *Une goutte de mensonge au*
> *fond du verre et toute l'eau est*
> *empoisonnée.*

Pourtant j'exerce la parole :
elle est mouvement pur, par elle
je m'envole.

> L'univers est sourd, aveugle,
> muet. Son silence est intradui-
> sible.

Mortel battement

MORTEL BATTEMENT

Ici commence et meurt
le peut-être encore
le très-peu le presque pas

Nulle image. Rien à voir
ni le clair ni l'obscur ni la couleur
l'ombre un instant gardée
d'un objet disparu

C'est que les signes tracés
aussitôt le feu les flambe :
il roule en deçà des sons
un grondement monotone

À travers l'énorme rien
la menace du possible
avec l'impossible
se cache pour s'accoupler

Par un bruit de paroles
je m'efforce d'imiter
ce mortel battement
qui couvre le silence.

UN CHEMIN

Un chemin qui est un chemin
sans être un chemin
porte ce qui passe
et aussi ce qui ne passe pas

Ce qui passe est déjà passé
au moment où je le dis
Ce qui passera
je ne l'attends plus je ne l'atteins pas

Je tremble de nommer les choses
car chacune prend vie
et meurt à l'instant même
où je l'écris.

Moi-même je m'efface
comme les choses que je dis
dans un fort tumulte
de bruits, de cris.

L'OBLIQUE

Dans un temps lisse, parfois grenu
des pesanteurs s'acharnent. Des lacunes
rassurent par la facilité. L'obstacle
s'oublie, se perd : un rien
le traverse. L'oblique
triomphe de l'équerre. C'est le soudain
rappel à l'autre espace
qui n'est pas vu.

CE QUI VA ET VIENT

D'où (lentement) vient ce qui vient ?
D'où émerge ce qui s'élève ?
D'où sort vivement ce qui veut,
ce qui veut être et veut être visible ?

J'assiste je ne sais pas
qui voit qui est vu qui gronde qui se tait
qui demeure qui se disperse
brille par ici s'éteint là-bas

Ce qui veut être
est-ce moi qui ne suis plus ?
Ce qui est tenu n'est pas entendu
Ce qui devait venir n'est pas venu
Ce peu de chose n'est rien.

Mais l'ombre et la lumière (que je connais bien)
tournent autour l'un de l'autre
formant au regard maints objets pleins
par exemple le silence d'une plante
par exemple le poids d'une pierre
ou un simple mouvement
qui va qui s'éloigne qui revient
pendant que je me tiens debout

Quelquefois je marche et ne dis rien.

Trois tombeaux

IMAGES DE MONSIEUR TESTE

Une île couverte de blanches stèles remontait avec une sorte d'allégresse le cours aérien du temps et son reflet, brouillé par les arbres rameurs, dans le bleu pur de l'océan céleste, était la seule ombre de regret qu'elle voulût bien donner à la tristesse du monde.

Sur le sommet de l'île, entre des colonnes brisées, rêvait une statue parlante. Elle disait : « Je connais tout d'avance. Je serai, donc je fus. Je connais ce qui change, ce qui souffre et se meurt, les empires qui s'effondrent, les guerres, les massacres, comme aussi les triomphes, les rires, les clairons, c'est pourquoi j'ai choisi la forme la plus nue dans les eaux les plus bleues, cet Apollon de marbre, image illusoire de la pérennité. Tout ce que je puis devenir n'est qu'une altération de ma vertu d'être. Mort sous mon masque de pierre, je cherche encore les signes permanents qu'échangent les saisons dans une âme immobile et les chiffres très simples que le Multiple habille de ses tourbillons variables... »

Le vent fraîchit. Sombre devint la mer. Quelque part une lampe veillait dans une chambre sans autre meuble qu'un lit de fer. Monsieur Teste, vêtu d'un complet de drap quelconque, était étendu sur ce lit. Son visage souriait avec la sérénité d'une insondable mélancolie. Il semblait attentif au bourdonnement de tout ce qui est possible et qui pourtant n'avait pas plus de poids, entre ces murs blanchis à la chaux, que l'affolement d'un papillon de nuit.

Quel était le miroir, terne et désespéré, offert à sa méditation, pour que son regard fixe parût empreint d'une telle souffrance ? Mais aussi de quelle surhumaine attention semblait-il possédé pour que pas un muscle de sa face ne bougeât ? Au-dehors, l'antique statue parlait toujours d'une voix égale que l'éloignement rendait sourde, sans que le regard du Veilleur cessât de chercher sa propre énigme dans l'invisible architecture de l'espace.

Ô vivants, morts futurs, accrochez vos ombres à des paroles plus dures que vous-mêmes ! Acceptez sans effroi le jeu profond des métaux dans les vastes caves du firmament. Accordez vos soupirs, le rythme de vos veines et même la douleur, au chant souverain de ce qui vous dépasse. Comme d'autres par les couloirs magiques du rêve, descendez les degrés transparents de la conscience jusqu'au secret de votre propre sang, qui est fait de la même substance que les astres, et vivez comme si vous étiez éternels.

(Paris, juillet 1945.)

SUPERVIELLE
DANS LE GAVE D'AUTREFOIS

Un homme qui reste lui-même tout en changeant sous
vos yeux,
sans cesse disparu comme le temps mais toujours là,
il a cette voix que j'écoute, cet accent reconnaissable
et pourtant il se promène à travers toutes les choses du
monde vivant.
Il va dans la rue de Berri et en chemin il se métamor-
phose en volcan
puis redevenu ni plus ni moins qu'un géant
il dort d'un œil de veilleur sans cesser d'être attentif.
Il rit entre ses dents et on s'aperçoit qu'il pleure
il parle comme un enfant et le voilà déjà grand-père
il parle en rêvant il soupire il sifflote il s'en va plus
personne
et voici qu'il se retourne et vient vers nous
immense et doux comme la laine avec le pas flexible du
désert.
Il murmure il chantonne il s'avance un peu à contre-
temps
comme fait le jeune homme le Dimanche qui traverse la
place au moment où joue la fanfare
et ne veut pas que l'on croie qu'il marche en cadence.
Il murmure avec le vent et il affirme
que ce sont les arbres qui ne cessent de parler par sa
bouche.

Il dit qu'il n'y a pas de différence entre lui et les autres
et que l'on peut se loger tout entier sans secousse et sans
    douleur
à l'intérieur de tous les êtres et même d'une autre
    personne.
Il dit qu'il est la terre et le ciel étoilé et voilà pourquoi
il souffre quand un nuage obscurcit un de ses yeux.
Il dit aussi qu'il est le seul à connaître au milieu de
    l'Océan
une petite fille toute seule à la fois vivante et morte
flottant sur un village fantôme.
Il dit qu'il écoute le Temps hennir et s'arrêter à sa
    porte.
Il est à la fois hier et demain et aujourd'hui
quand il parcourt au galop les pampas de l'espace
et lorsqu'il se regarde dans la glace
il voit la carte en couleurs de l'Amérique du Sud
et ses rides ce sont les montagnes et ses veines bleues les
    fleuves...

Et s'il y a tant de substitutions
quand ses grandes mains jonglent avec une étoile
une fée le bœuf et l'âne que sais-je ?
comme avec d'humbles objets usuels
et s'il y a tant de changements à vue dans les appa-
    rences du monde
et si d'un mot à un autre mot tout simples
il y a soudain tant de mélodie et tant de distance
c'est parce que s'insinue en lui en nous dans notre bon
    sens quotidien
la tentation de la folie, la douce clairvoyance la
    lumineuse folie
qui donne enfin un sens à tant de confusion,
c'est parce qu'en lui solitaire,
vacillant sur ses hautes jambes comme un poulain
    poussé trop vite

ou un vieil éléphant tendre et raviné,
toutes les frontières sont tremblantes et sur le point de
    se rompre,
toutes ces frontières que nous gardons si mal, avec tant
    d'effort,
entre ce qui est visible et ce qui se cache
entre toi-même et toi et le dieu inconnu
entre nos jours de poids de pain et de pluie
et nos nuits de fuite et d'algue et de possible illimité,
entre les images qui chantent et les musiques muettes
entre le charbon qui mûrit et les fleurs incandescentes
entre tous ces objets qui bougent et qui font semblant
    d'être immobiles
et tous ces gens qui ont l'air de vivre et qui pourtant
    sont morts,
entre toi-même et toi-même, Supervielle qui dans le
    Gave d'autrefois
convoquais tes ancêtres trépassés
et qui maintenant parti, pour les rejoindre ne sais plus
si ce n'est pas toi le seul survivant
au milieu de nous qui diminuons,
nous qui avant de disparaître dans la brume au dernier
    tournant
adressons un signe d'adieu à ta haute silhouette
affectueuse et sérieuse debout au milieu de la route...
Il ne faut donc pas pleurer parce que l'on t'aimait bien
mais te sourire parce que tu es là et que tu nous parles
    avec cette voix reconnaissable
et que vraiment ni l'un ni l'autre de nous tous
nous ne savons plus très bien où nous en sommes
et que c'est peut-être ainsi dans cette grande hésitation
    stellaire
que l'on se retrouve au-delà de notre vie entre ciel et
    terre.

(Paris, mai 1960.)

À VOIX BASSE POUR FOLLAIN

Le signal le plus précieux
l'instant qui ne finira plus
se trouve si l'on partage
entre l'ombre et la lumière tout objet au repos
mais bien peu connaissent la clé
et le peintre n'est visible que dans le miroir
comme s'il s'était glissé
au cœur des choses en s'effaçant.

Ainsi tu te tiens devant le chevalet
debout vu de dos
mais pour toujours ressemblant
près des fenêtres où Vermeer
reçoit l'oblique annonciation du jour
révélée aux parquets luisants aux gobelets
à la mappemonde à la perspective quadrillée
et au luth qui ajoute au silence
le prolongement des sons retenus.

Car tout se tait il faut prêter l'oreille
longtemps pour saisir quelques mots sans rumeur
choisis toujours un peu plus bas
que le vain bruit du sens

dans la chambre provinciale
où les tiroirs ont l'odeur de la noix muscade.

Un profil de femme entrevu
un dolman posé sur une chaise
te somment de nous apprendre
que le monde est immobile et que sa fuite
est illusoire : tout perdure,
les dossiers sont sanglés à mort,
le rire étranglé le sanglot jailli
se figent parce que l'heure prévue
arrive de plus loin que nous c'est le secret.

Celui qui sait tout cela et mille autres choses
(il s'intéresse aux chasubles aux uniformes
aux chassepots de la Commune
aux coutumes puissantes
aux rites des repas aux grands papiers filigranés)
— celui qui ne veut rien laisser à l'oubli
— celui qui voit passer sans que les roues résonnent
   sur l'asphalte
la charrette fantôme du chiffonnier
entrant tout droit avec sa poussière
sous l'arc en ruine des archives du monde,
— celui-là doit braver la mort
en s'arc-boutant (c'est pourquoi tu t'es si souvent brisé
   l'épaule)
contre la cloison mince qui nous sépare de Tout.
L'aujourd'hui sans cesse moribond cette porte qui
   grince
l'air du dehors ébranle nos logis fragiles
quelque part une bête (tu le disais) boit dans une flaque
et une étoile s'attarde, indocile au calcul.
Tout devrait être là en effet tout est là
mais il faut attendre encore un peu

ce qui viendra parfaire
l'espace où tout se résout
où l'entassement se donne au Vide sauveur
où nous irons te rejoindre, Jean Follain.

(Paris, mars 1971.)

Chants perdus

HIER FUT LA FIN

Hier fut la fin le chaos
l'indiscernable. Mais
de l'horreur naquit le passage entre
les blocs.
            Vint le frisson
secouant les rafales
soubresauts de l'obscur.
S'avança le silence
ordonnateur inventeur
de pauses, d'oublis souverains.
Il fut permis de voir d'entendre
d'accéder aux cimes froides
où clame la clarté
où tout commence
avec la pointe et l'éclair
le rythme et la faux le secret
la fuite joyeuse des temps, le cruel
message à déchiffrer
puis à déchirer à jeter,
le peu à peu le bientôt
le jamais encore
l'ombre aux abois le peut-être
les lueurs
futures

le feu qui grandit
le souffle
porteur de la parole.

Mais c'est le souffle aussi
qui saura seul
éteindre tout
pour rendre à la Nuit
son empire.

À TU ET À TOI

Toi qui n'es rien ni personne
toi
je t'appelle sans te nommer
car tu n'es pas le dieu
ni le masque scellé sur les choses,
mais les choses elles-mêmes
et davantage encore : leur cendre, leur fumée.

Toi
qui es tout,
qui n'es plus, qui n'es pas :
peut-être seulement
l'ombre de l'homme
qui grandit sur la paroi de la montagne
le soir.

Toi qui te dérobes et fuis
d'arbre en arbre
sous le portique interminable
d'une aurore condamnée
d'avance.

Toi
que j'appelle en vain

au combat de la parole
à travers d'innombrables murmures
je tends l'oreille
et ne distingue rien.

Toi qui gardes le silence
toujours
et moi qui parle encore
avant de devenir sourd et aveugle
immobile muet
(ce qui est dit : la mort),
Je vais hors de moi-même en tâtonnant
cherchant ce qui peut me répondre,
« toi »,
peut-être simplement
le souffle de ma bouche
formant ce mot.

★

Toi
je te connais je te redoute
tu es la pierre et l'asphalte
les arbres menacés
les bêtes condamnées
les hommes torturés.

Tu
es le jour et la nuit
le grondement d'avions invisibles
pluie et brume
les cités satellites
perspectives démentes
les gazomètres les tas d'ordures
les ruines les cimetières
les solitudes glacées je ne sais où.

Tu
grognes dans les rumeurs épaisses
des autos des camions des gares
dans le hurlement des sirènes
l'alerte du travail
les bombes pour les familles.

Tu
es un amas de couleurs
où le rouge se perd devient grisaille
tu es le monceau des instants
accumulés dans l'innommable,
la boue et la poussière,
Tu ne ressembles à personne
mais tout compose ta figure.

Tout :
le piétinement des armées
la masse immense de la douleur
tout ce qui pour naître et renaître
s'accouple à l'agonie,
même les prés délicieux
les forêts frissonnantes
la folie du soleil l'éphémère clarté
le roulement du tonnerre les torrents,
tout
cela ne fait qu'un seul être
qui m'engloutit ; je vais du même pas
que les fourmis sur le sable.

Toi
je te vois je t'entends
je souffre de ton poids sur mes épaules
tu es tout : le visible,
l'invisible,

connaissance inconnue
et sans nom.
Faut-il parler aux murs ?
Aux vivants qui n'écoutent pas ?
À qui m'adresserai-je
sinon à un sourd
comme moi ?

Tu
es ce que je sais,
que j'ai su et oublié,
que je connais pourtant mieux que moi-même,
de ce côté où je cherche la voie
le vide où tout recommence.

(Paris, Gassin, Milan, Paris.
Février-mars 1975.)

AUCUN LIEU

Il n'y a
aucun lieu
ici
ni ailleurs.

Ici n'existe pas.
Ailleurs n'est pas.
Nous n'avons rien
à chercher.
Attendre est vain.

Il faut habiter le temps
multiple,
lui ressembler.

Avec lui comme lui
sans m'arrêter
je passe
disant adieu
jour après jour
aux figures
que la nuit
vertigineuse
emporte.

NANDERUVUVU
(Discours de l'Insecte-dieu)

À la mémoire de Mircea Eliade.

« Familiers du Déluge
nous sommes quelques-uns
je dis quelques milliards
sous nos chamarrures
(le jaune Chenille
l'or Scarabée le noir Capricorne)
à faire trembler le globe dans nos os.

« Si tu es MALENFUNG
qui se retourne dans son sommeil
et chaque fois secoue le sol
en attendant d'écraser le ciel,
moi je suis AUREPIK, le fils
qui un certain jour, aussi sec
vous mangera.

« KAREÏ voleur de paradis fera de même
il est notre petit frère
et lui aussi lui surtout NANDERUVUVU
que l'on n'aperçoit qu'en rêve
(la Terre qui a honte
d'avoir dévoré tant de monde

implore son pardon).

« Insectes-rois
insectes-dieux
couronnés de piques
de plantes vénéneuses
nous avons frappé frappé frappé.
Nos pattes palmées
martelaient la boue
pour en faire issir la moisson des vers
gracieux et fous porteurs de têtes
qui dansent éclairées du dedans.

« Nourris de notre descendance
barbouillés d'ocre et de craie
de suie, de sang séché
brandissant nos élytres
nos rameaux nos sagaies
nous avons dansé dansé dansé
la danse du Sexe et du Mourir.

« Fils de moi-même enfin seul
interminable insecte
éphémère immortel
toujours tué et engendré
par Celui qui se dresse entre mes jambes
je fertilise j'enlise
j'ensalive j'ensevelis
et je délivre
familier du Déluge. »

LES CARACTÈRES ILLISIBLES

Ce que tu assembles, ce que tu divises
se passe au fond de ton sang
hors de ta volonté : tu assistes
et tu te révoltes de n'être qu'un témoin
sans nul pouvoir.

Cette faible vie, tu aurais voulu la dominer
et tu ne parviens
(à force de vigilance)
qu'à percevoir en deçà et au-delà
des éclairs indéchiffrables
quelques lointains roulements
annonçant que tout se prépare.

Bientôt ce qui est imprévu sera là
et ce que nous attendions s'enfuira.
Nous serons atteints par surprise
sans avoir compris sans savoir lire
les figures de nos propres rêves
pourtant inscrites en lettres géantes
sur la face changeante des nuages.

AUTOMNE À COGOLIN

                           Là, le soir qui vient
Ici une fenêtre

                         Plus près la pluie
                 Plus loin une lampe
une autre

              deux autres

                    plusieurs.
Est-ce le jour, la nuit ?
Est-ce que je suis toujours — ou jamais ?
Et de si peu que rien
ferai-je quelque chose ?

LÀ-BAS dorment les chênes-lièges
où gîtent depuis cent mille ans
les druides les fées les salamandres
LÀ résonne la fêlure de l'horloge
ICI court un passant
trempé par l'averse
mais indifférent content
songeant, se souvenant.
Ma voix que j'entends mal
répète encore ces mots :
ICI   LÀ-BAS
TOUJOURS   JAMAIS

Mais qui donc sous ce porche espère ?
L'ombre elle aussi déjà
sous les voûtes s'amasse et sourit.
Qu'est-ce qui m'attire au fond de ce rien,
de cet instant qui s'efface ?

Je n'entends plus
Je suis le silence j'attends.
Gerbe où je suis tombé
arraché déchiré
sur le point de saisir
sur le point de sauver
dans l'ombre de velours
un objet sans valeur et sans prix
vérité attendue inconnue
reconnue
connaissance comblée épuisée

peu de chose pour tout.

JE ME SUIS INSTALLÉ

Je me suis installé
pour y mourir
dans une image.

Une chambre étroite
et sa fenêtre
protégée
par de très vieux chênes-lièges.

Le chemin les cailloux les romarins
dévalent entre les rochers
jusqu'à la forêt
redevenue sauvage
que termine l'altesse
d'un pin parasol
aux deux couleurs :
vert obscur pour amasser l'ombre
vert clair pour saluer le matin.

Quand je me penche
je vois à droite
sept rangs de collines violettes
et au bout de mon regard
des îles grecques

allongées, heureuses
sur une coupe brillante
qui n'en finit pas de s'éteindre
depuis que l'homme se débat
dans ses pensées.

Je ne veux pas m'en aller
Je ne partirai jamais.

LA CITÉ SOUTERRAINE

Les mains en avant à travers la nuit
Nous sommes tous descendus dans une cité souterraine
qui n'en finit pas de s'étendre
et nous nous cherchons les uns les autres
à tâtons sans jamais nous retrouver.

Parfois à la lueur faible qui tombe d'en haut
par un puits ou par une faille dans la roche
nous apercevons une trace
une image détruite
un écrit presque illisible une empreinte de pas
et le cœur soudain rempli d'une joie enfantine
nous nous dirigeons de ce côté croyant comprendre le
     message
mais notre espérance est toujours déçue.

Pourtant ceux que nous cherchons dans cette ville,
c'est eux qui nous avaient promis
de ne jamais nous abandonner :
ils nous avaient comblé les mains et la mémoire
de glorieux vestiges
de tous les dons qui ne s'achètent pas...
Nous avons tout gardé nous sommes fidèles
mais les parjures nous ont trahis

ils nous ont égarés dans le labyrinthe
sans nous laisser le plan ni le trajet ni la clé.

Ici où nous tournons sur nous-mêmes sans fin
la poussière a recouvert nos trésors plus rien ne brille.
C'est à peine bientôt si nous saurons
nous souvenir des promontoires
d'où l'on embrassait d'un seul coup d'œil
les mers les forêts les collines avec leurs villages,
où tout le monde se retrouvait dans le bruyant cortège
le long des routes bondées de charrois
et dans les rues illuminées
pleines de cris d'enfants.

Gassin, 28 novembre 1972.

LA FIN DU POÈME

C'est la fin du poème. Épaisseur et transparence, lumière et misère — les jeux sont faits.

On avait commencé par la rime pour enfants. On avait cherché des ondes de choc dans d'autres rythmes. On avait gardé le silence, ensuite murmuré : on cherchait à se rapprocher du bruit que fait le cœur quand on s'endort ou du battement des portes quand le vent souffle. On croyait dire et on voulait se taire. Ou faire semblant de rire. On voulait surtout sortir de son corps, se répandre partout, grandir comme une ombre sur la montagne, sans se perdre, sans rien perdre.

Mais on avait compté sans la dispersion souveraine. Comment feindre et même oublier, quand nos débris sont jetés aux bêtes de l'espace, — qui sont, comme chacun sait, plus petites encore que tout ce qu'il est possible de concevoir. Le vertige secoue les miettes après le banquet.

Plaisantineries
Quatre airs légers pour flûte à bec

I

DIALOGUE DU MORT ET DU VIF

Viendrez-vous ? — *Je vous connaissais :*
je ne vous reconnais plus.
Viendrez-vous ? — *Eh, qui donc parle ?*
Je ne sais qui vous êtes.

Viendrez-vous de notre côté ?
— *Vous êtes un faux visage*
qui fait semblant de vivre,
je n'ai rien à vous dire.

Vous viendrez, je le sais
vous rejoindrez nos rangs
qui croissent tous les jours
et piétinent dans l'ombre.

— *Alors je franchirai*
le seuil infranchissable
nous sommes l'un à l'autre
fermés impénétrables
je parle déjà seul
il faudra bien me taire.

II

QUE ET QUE

(Testament léger)

Je sais que j'attends que l'heure
s'ajoute à l'heure et m'enlève
je ne résisterai pas.

Sur les prés et sur les dunes
les poulains les goélands
auront leur part de vitesse
de lumière de repos.

Enfin je ressemblerai
à ce qui m'anima, dès
l'origine de ma vie :
moitié soleil moitié ombre,
victorieux et défait.

III

PETITE FLAMME

Petite flamme t'éteindras-tu ?
— Oui s'il pleut s'il vente

Et s'il fait beau ?
— Le soleil suffit, rien ne brille

Et s'il fait nuit ?
— S'il fait nuit, dort tout le monde
On n'y voit goutte.

Donc à la fin, de toute manière
la petite flamme s'éteint.

IV
LE TEMPS L'HORLOGE

L'autre jour j'écoutais le temps
qui passait dans l'horloge.
Chaînes, battants et rouages
il faisait plus de bruit que cent
au clocher du village
et mon âme en était contente.

J'aime mieux le temps s'il se montre
que s'il passe en nous sans bruit
comme un voleur dans la nuit.

Les beaux métiers

LE COMMISSAIRE-PRISEUR

(Vêtu de sombre. Cravate claire. Correct, et un peu raide, le visage impénétrable. Péremptoire, solennel, mais pressant. Finalement un coup de marteau irrévocable.)

Ici. Pas à gauche. Pas à droite ni au fond
Je dis je répète : ici
Ni là-bas, ni au-dessus ni en dessous
Ici, c'est ici : je répète c'est ici, ni là, ni là-bas, ni plus
  loin.

Pas à droite ? Pas à gauche ?
Monsieur ? Madame ? Ici, pas là, pas là-bas ?
Ni à gauche ni à droite ni au fond ?
Je répète. Attention ! Attention !
Je répète : ni à droite ni au fond. Je vais adjuger...

Alors ? Alors ? C'est bien vu, bien entendu, j'adjuge ?
Allons allons dépêchons-nous ! Monsieur, non ?
  Madame, non ?

Une fois, deux fois
Une fois deux fois trois fois, j'adjuge ?...

Adjugé !

LE VIEILLARD PRÉMATURÉ

(À la diable. Bafouillant, confondant tout, mais sûr de lui comme quelqu'un qui aurait, il y a très longtemps, occupé de hautes fonctions.)

En chassant le papillon avec les autres petits garçons de mon âge (quatre-vingt-dix ans à la Saint-Jean des groseilles), j'ai vu passer la jeune reine aux seins lourds. J'ai mis sa couronne à mes pieds, puis, levant mon bâton de bambou : « Majesté — dis-je — circulez ! C'est ici le chemin où je m'abrite quand il pleut, sous des champignons d'honneur qui se referment après moi. »

Vous prétendez qu'il faisait nuit ? Mais non, c'était le jour. Vous dites ? Comment ? Vous allez à la pêche ? Eh bien, moi aussi ! Nous irons ensemble en devisant : même à voix basse j'entends tout, grâce à mes oreilles de lapin mécanique.

Quant aux jeunes journalistes insolents qui prennent des notes dans les couloirs et ne vous laissent pas parler, s'ils frappent à la porte, répondez-leur que tout va bien, que l'horizon devient immense et que bientôt je vais m'envoler.

LE CLOWN ET SON ALTER EGO

(Tous les registres clownesques, barrissants et hennissants, du plus grave au plus aigu. Accent « étranger », — mais on ne sait d'où. Une insondable innocence. La bouche plus large que nature et badigeonnée de blanc.)

Où t'en vas-ti ?
— Jé né sais pâs.

D'où viens-ti ?
— Jé né sais pâs non plis !

Où t'es-ti donc, là-bas ou ici ?
— Entré les deux, entré les deux je souis.

Alors, qui t'es-ti ?
— Jé né sais pâs, jé né sais pâs,
jé né sais plis !

L'ÉTERNEL ENFANT

Pour Nicolas.

*(Étourdi et souriant. Un visage de gamin sur
un corps adulte. Beaucoup de courbettes, mais
une grande dignité.)*

Grand plaisir grand merci
Merci mille fois merci.
À bientôt Mais non Mais si
Ce n'est rien je vous en prie.

À Dimanche à Lundi
À Mardi à Mercredi
C'est cela : plutôt Vendredi
Le matin, je veux dire à midi
Dès l'aurore avant la nuit.

Sans façon c'est par ici
Trop aimable. Bonne nuit.

COMME CECI
COMME CELA

En moi-même paysages

L'OMBRE LA BRANCHE

*À Jean Bazaine qui a revêtu ce poème
de ses couleurs éblouissantes.*

Comme ceci — pâle inquiet flou insensible
    (la nuit la brume ou mon humeur le temps les
      choses)

Comme cela — parce que oui parce que non le matin
   l'heure
    (détruit déchiré divisé réuni composé

                         renaissant)

Si cela va si cela vient chaleur mémoire
Est-ce la source ? Quel effort vers l'origine ?
       (lumière éteinte ombres passages
       nuage orage fraîchissant
       vie en une autre
       milliards de morts dans l'herbe et l'eau)

Lourdeur du jour L'averse absente en vapeur retombée
flamme fontaine
soupir sillage
(Prends pour te perdre prends pour oubli la blanche
   poussière)

91

Voici voilà pour toi pour nul
pour ce soir hier et toujours
les chemins ravinés les terrains sillonnés nos artères nos
    songes

nos mesures démentes.

Oui mais encore   mais non jamais
le sang le lait le vin la roue ma transparence
(sans fin et sans repos le battement infatigable)

Roc notre illusion refuges calculs notre perte
le poids l'opacité le repos

                              Mais sur le tombeau même
revient la fluide vapeur
ronger dissoudre et disperser la pierre.

Déchiré déchirant uni désuni par la cendre
la vague repartie et revenue
rassemble disperse rassemble disperse
s'irrite s'apaise s'irrite
éparpille abolit (l'écume édifie et ruine
la mer en grondant nous ressemble)

Les yeux ouverts sur l'obscur
aveugle mort aveugle vie
tant de tonnerre enveloppé dans ce silence,
tant de terreur dans ce paisible espace.
J'ai salué cette pesante et triomphante
fureur de la fumée
par la mortelle patience.

L'heure tourne   Je veille je dors
je trace l'ombre de la branche sur le mur
pour oublier la branche

puis l'ombre aussi je l'efface peu à peu
Ainsi la nuit ainsi le jour.

★

Ombre qui trembles selon la saison
entre ta fuite et ton retour
moi-même en toi je passe et perds mon image
avant de me recomposer
Pareils tous deux, d'abord debout puis par le soir
    étendus allongés lentement effacés
nous voici pour être et pour disparaître
visibles amis de la vie
à la mort mariés en secret.

                            Est-ce l'heure ?
            Aujourd'hui ? Demain ? Jamais ? Attendez !
Attendez-nous, fidèle espace, nous reviendrons
dans ce peu de temps mais sans limite.
Les couleurs les contours s'atténuent   Tout se montre
transparent révélé
comme ceci — présents animés attachés menacés
comme cela — dispersés oubliés invisibles naissants
la nuit et la mer nous ressemblent
nous rassemblent je reviendrai
N'oubliez pas, choses légères !

On roule à grand bruit des meubles
                        dans la chambre déserte
                        la maison en ruines
ma table ma chaise mon lit mes livres

C'est l'orage et la pluie
que ma bouche profère
Je ne suis même pas là pour m'entendre
pourtant je vois à travers les rideaux déchirés

93

ce que j'aime tomber en poudre
                    s'éloigner un instant
                    puis remonter à l'envers de la
                        vie
comme si tout devait être sans relâche
        gagné perdu mille fois regagné reperdu
        à la fin sacré par l'abîme :
C'est de le savoir qui nous sauve
                    (et pour que tout s'apaise
                    le crissement obligé des cigales
                    renaît des cendres du jour
                    Ce qui siffle sous la porte
                    sort des brumes balayées
                    le temps d'une éclaircie
                    entre deux sommeils).

NEIGE SOLEIL

Blanc   bleu
blanc dans le bleu
pâle et blanc dans le bleu

Bleu pâle je dors bleu pâle je veille
bleu de soleil je suis je vis

Je vois je parle j'entends je suis mille
cent mille par le blanc par le bleu
pâle éclatant chaleur mon front les yeux fermés

Veiller dormir souffrir ébloui
bleu dans les branches blanc sous le ciel
blanche et bleue la montagne. Joyeux
le train court vers le terme
tout s'affirme et s'enfuit.

Sans cette mort comment vivre ?
Sous mes pas quel espace ?
Sans cet instant quel destin ?
Le blanc l'ombre bleue dieux visibles
dieux périssables

                                        Une seconde
pour brûler mes ténèbres.
Je suis fait de mille fenêtres
ouvertes au blanc au bleu à leurs jeux
aux feux multiples aux couleurs aux ombres
(les chocs sourds le rythme connu)
au sable à la neige au soleil
à mon défi à ma mort à mon silence
sources cachées sous les mots.

Le blanc le bleu, ce que je vois
je le vois, ce que je suis
je le suis contre toute entrave
Je crois je crains j'aime ce que j'entends
j'aime ce rythme sans figure.
Tant qu'il bat mon cœur bat
je vais où je vais je vis je meurs
je crois à tout ce que je crois
même au prestige dévorant.

Je suis je vis longeant ma mort
célébrant un temps menacé
chantant la gloire d'un souffle

Je te chéris neige tombée
blanche et bleue
qui me brûle m'illumine
et déjà disparais
dans le terrible
rire
du soleil.

                                        (Train Paris-Milan.
                                        Jour d'hiver 1963).

REFLETS SUR LE LAC DE GARDE

Ô lago ô lalago !
Ô Himmel !
Ô Himmemel !
Une barque imaginaire
sur une vague invisible

Neige dans l'air à peine vue
au flanc des monts
Regarder comme on rêve
ou comme on meurt ou comme on renaîtra

Dingen
im Niente corrente
Flowers della mattina

Entre Sehen and oubli
Je fonds je fuis
je finis l'infini.

Sais-tu quel est ce temps qui passe ?
Ce n'est qu'un oiseau son reflet.

Le présent comme souvenir
Ergo sum comme on espère.

Frisson degli giorni
im Ewigkeit
Nebbia sed sorriso
Orgasme with Ophelia
Venit nox sicut aurora.

DIURNE

Est-ce que tu dors ?
Est-ce que tu t'éveilleras un jour ?
Ni veille ni rêve : cela est.

Des enfants jouent
                              Un éclat sur une vitre
Un ronflement d'avion
Le sol résonne Je marche à grands pas

Fraîcheur sur les yeux
Je tiens J'éprouve Je sais à qui parler
Tout répond
                      Foisonnement.
(Oublie ! N'oublie pas ! Oublie ! N'oublie pas !)

Un coup de frein
Un nuage passe
et tout change de couleur.

Surprise sans fin
Horizons qui n'en finissent pas de se déplier
Il y a toujours quelque chose plus loin.

Ce qui murmure hors de moi en moi-même
est comparable au fleuve
qui traverse tout sans se mélanger à rien

Ma vie, je t'ai cherchée toute ma vie
tu as pris les plus beaux visages
mais je n'entends que la voix.
Au bord de quelle nuit te trouverai-je enfin ?

NOCTURNE

Ici s'ouvre un monde nouveau
démasqué par la fin du jour
Le temps bascule J'écoute Je retiens mon souffle.

Une réponse dernière
Un pâle éclat
Un secret promis et tenu

Les mots

                     un essaim d'astres
Une plume   une feuille

La nuit s'éclaire au centre
Au centre est la source de toute couleur
Au centre est l'avenir longtemps mûri sous les cendres

Au centre est mon amour pour ce monde
Ma joie mon espérance invincible et trahie.

J'irai mourir dans mon enfer
Je déchirerai les vestiges de la misère
Je délivrerai ce qui est immobile
Je perdrai mes enfants dans la clarté

Je forcerai les secrets de la douleur
J'écarterai les rideaux du théâtre de la mort.

Oubli

Mémoire

soupir

Roule miracle torrent puissance
que l'aube arrive reparte revienne
que fuient les tourbillons

Le silence est un tonnerre lointain

Toute défaite est mon triomphe

Trois Lieder

LE CHEVALIER
À L'ARMURE ÉTINCELANTE

Vieil homme vieil homme
arbre à la dure écorce
de quels bourgeons es-tu capable encore ?

Est-ce que soudain tu recommences ?
Est-ce bien toi qui regardes qui entends ?
Où vas-tu, mon chemin ?
Je ne te voyais plus dans la forêt
Un éclair, mille éclairs
percent l'ombre et m'illuminent

Qui a vécu vivra
Un reflet perdu
Une voix chante et s'éloigne

Pour un rayon pour un regard pour un visage
j'adore ton retour sans fin
Ô vie interrompue
toujours reprise

De ce torrent source cachée
je détourne le cours
jusqu'à l'infinitude
au-delà de la mort.

AVENTURE

Était-ce hier ou dans un temps lointain ?

La vibration de l'air à peine on l'entendait
(C'était le cri de l'alouette invisible)

J'étais seul, habité par une multitude muette
où grondait la colère des mauvais jours.

Dans cette large plaine coulait sans doute un fleuve
et au-delà pâlissaient les montagnes mais on ne les
   voyait pas

Le reflet de ma peine
identique à ma joie
plongeait dans les ténèbres
vides.

Quelqu'un passa, ou quelque chose
« Qui est là ? » — demandai-je

Nul ne répondit.
Mais une feuille tomba

et le rideau s'entrouvrit
sur le paisible abîme de mes jours.

INSOMNIE

Ma longue nuit les yeux ouverts
seul délivré je veille
pour ceux qui dorment.

Rendu à l'espace
à l'empire du souffle
bien au-dessus des demeures.

Vertige lucide   J'entends monter
vers moi le hurlement secret des morts
le tonnerre d'un monde éteint
silence assourdissant   langage
des énigmes confondues.

Bientôt (toujours trop tôt)
la retombée le masque aveuglant
le piège   délire de vivre

Je verserai dans le jour
trésor amoncelé des nuits
cette réserve obscure
cette ombre comme la mer
où dansent les feux en péril.

De nouveau les rumeurs
à la dérive

paroles déchirées
                    lointaines
                              indéchiffrables.

La fête et la cendre
Lamento en quatre parties

Au cours des fouilles récentes effectuées à Pompéi, il a été possible de « remodeler » l'aspect physique d'un homme et d'une femme saisis dans leurs gestes et leur expression alors qu'ils cherchaient, en vain, leur salut dans la fuite et que la cendre incandescente les avait entièrement consumés, pour disparaître ensuite elle-même au cours des siècles, laissant une empreinte creuse identique à leur corps. (Éruption du Vésuve, 79 ap. J.-C.)

(D'après l'article de S. Moscati, *Corriere della Sera*, 12 avril 1976.)

I. THÈME

Golfe — Vergers — le vignoble
Les plaisirs et les travaux.

Soudain le cratère. L'horreur
le feu la lave en fusion
la fuite dans la cendre

Avant l'horreur un instant un regard
la nuit d'été profond espace
Les astres morts illuminés.

Après l'horreur un masque une effigie
absence creuse à forme humaine
l'oubli changé en pierre.

II. RÉCITATIF

Sur le fragile et tendre azur du golfe
craque la cime du cratère — vieux dormeur
hypocrite. Du fond de ses puits de ses forges

jaillit la colonne de flammes, cataracte
à l'envers. Elle assourdit elle éblouit
elle rougit les vergers le vignoble. Comme il court
le flambeau funèbre illuminant
la ville aimable ! Les plaisirs
et les travaux sitôt fauchés par les enfers
s'abattent moisson grise et blanche. Le déluge
de feu engloutit sous l'horreur
le geste des vivants
fixé par l'éclair du supplice.

... Et nul ne vit bondir épouvantés hors de la porte
cet homme et cette femme, pas encor des ombres mais
   réels
pour un instant avec ce poids
du cœur qui bat trop vite avec ces plaintes
que la peur étouffe dans la gorge. Lui
sur l'épaule emportait un trésor
dérisoire, elle une étroite
statue d'Isis pour implorer, mais déjà
ils ont franchi le seuil   ils tombent
pris au piège   comme des bêtes   brûlés vifs
la face contre terre.

                    Il passera, le temps
de l'Histoire, un autre éclair. Le couple est devenu
d'abord brasier puis cendre froide
puis plus rien. Le néant a coulé dans les corps
pour préserver leur future effigie.

III. MÉDITATIF

Avant l'horreur c'était encore
si peu de chose : vivre, un clin d'œil un regard
mais quel regard quand il appareillait

111

vers l'espace profond d'une nuit d'août
illuminée par les étoiles déjà mortes
signaux qui viennent d'autrefois pour nous sourire.

Après l'horreur nulle mémoire mais le masque
préparé. Après l'horreur
une outre bue un crâne déserté
ne sont pas plus sonores ni plus vides que ce creux
terrible dans la pierre. Ici persiste
la forme exacte de ce couple
pourchassé, ici l'empreinte pure,
ici, seulement bonne pour l'écho
sous le pas des troupeaux plaisibles,
la fuite immobile   statue
aveugle et ressemblante.

IV. FINALE

Nous sommes la fête et la cendre
le mouvement pétrifié
la forme creuse l'effigie
le masque aux yeux fermés
l'oubli devenu pierre   le silence
sous le pas des troupeaux.

Nous sommes le signal
lancé au hasard dans la nuit
l'astre éteint qui brille toujours
l'instant d'un regard sans limite
ouvert sur l'or et l'ombre
l'espace qui demeure
et contient tout.

(San Felice del Benaco,
août-septembre,
1976.)

112

Nouvelle énigme pour Œdipe
Monologue à deux voix

Est-ce que c'est une chose ? — Non.
Est-ce que c'est un être vivant ? — Oui.
Est-ce que c'est un végétal ? — Non.
Est-ce que c'est un animal ? — Oui.
Est-ce que c'est un animal rampant ? — Quelquefois, pas toujours.
Comment se tient-il ? — Debout.
Est-ce qu'il vole ? — De plus en plus.
Est-ce que c'est un animal qui siffle ? — Quelquefois.
Qui rugit qui meugle, hennit, miaule, aboie, jappe, jacasse ? — Oui, s'il le veut, par imitation.
Est-ce qu'il sait fabriquer des nids pour ses enfants ? — Il construit toutes sortes d'alvéoles tremblants.
Est-ce qu'il creuse des galeries souterraines ? — De plus en plus parce qu'il vole et qu'il a peur.
Est-ce qu'il se nourrit de fruits, de plantes ? — Oui parce qu'il est délicat.
Et de viandes ? — Énormément parce qu'il est cruel.
Est-ce qu'il parle ? — Beaucoup : ses paroles font un bruit infernal tout autour de la terre.
C'est donc le lion le tigre et en même temps le bétail et en même temps le perroquet le chat le chien le singe le castor et la taupe ? — Oui oui oui oui à la fois tout cela, à la fois lui-même et tous les autres.

113

Est-ce qu'il vit la nuit ou le jour ? — Il vit la nuit et le jour. Parfois il dort le jour et travaille la nuit parce qu'il a peur de ses rêves.

Est-ce qu'il voit, est-ce qu'il entend ? — Il voit tout il entend tout, mais il se bouche les oreilles.

Qu'est-ce qu'il fait quand il travaille ? — Il édifie de hautes murailles pour cacher le soleil. Il parle, il chante, il bourdonne pour couvrir le bruit du tonnerre.

Et quand il ne fait rien ? — Il se cache. Il tremble de tous ses membres, il ne sait pas pourquoi.

Est-ce qu'il va vers quelque chose, vers quelqu'un ? — Il le croit, il feint d'être appelé, désigné, couronné.

Est-il mortel ? — Il pense être immortel mais il meurt.

Est-ce qu'il aime sa mort ? — Il la déteste il ne la comprend pas.

Que fait-il contre sa mort puisqu'il ne l'aime pas ? — Il la multiplie en lui et hors de lui partout sur la terre la mer et dans les airs, il la répand à profusion il se nourrit de vie, c'est-à-dire de mort.

Et avec tout ce massacre, qu'est-ce qu'il espère gagner ? — Il croit perdre de vue le terme, il brouille l'horizon.

Qu'attend-il à la fin ? — Sa mort, sa propre mort.

Et lorsque vient sa propre mort ? — Il ne la reconnaît pas : il croit que c'est la vie et il se prosterne en pleurant.

114

À propos de cailloux

À HANS HARTUNG

*qui s'est plu jadis à transformer quel-
ques cailloux en sculptures antiques ou
en monstres légendaires : magie trans-
figurante de l'œil du peintre, quand il
regarde à travers l'objectif photogra-
phique quelques simples galets de plage
et y découvre* Un monde ignoré.

LES SONGES DE L'INANIMÉ

Le vagabond des millions d'années
l'Inanimé
s'efforce   Il monte il trébuche à travers
le va-et-vient l'affiche lumineuse
des nuits et des jours.

Il s'approche il monte, l'Inanimé, le vagabond,
il heurte de son bâton
les bords du chemin éboulé
Il peine il gémit il s'efforce
d'être un jour ce qu'il rêve,
de prendre vie,
de troquer l'insensible contre la douleur
d'échanger l'innombrable
contre l'unique,
contre un destin.

Futur empereur future idole
le caillou vagabond
limé couturé par l'embrun
veut gravir les degrés prendre figure
faire éclore sur sa face camuse
une bête qui brame
un philosophe qui bougonne
un saint qui se tait
un dieu qui souffre et qui meurt

COMPLAINTE DU VERBE ÊTRE

Je serai je ne serai plus je serai ce caillou
toi tu seras moi je serai je ne serai plus
quand tu ne seras plus tu seras
ce caillou.

Quand tu seras ce caillou c'est déjà
comme si tu étais n'étais plus,
j'aurai perdu tu as perdu j'ai perdu
d'avance. Je suis déjà déjà
cette pierre trouée qui n'entend pas
qui ne voit pas ne bouge plus.

Bientôt hier demain tout de suite
déjà je suis j'étais je serai
cet objet trouvé inerte oublié
sous les décombres ou dans le feu ou l'herbe froide
ou dans la flaque d'eau, pierre poreuse
qui simule un murmure ou siffle et qui se tait.

Par l'eau par l'ombre et par le soleil submergé
objet sans yeux sans lèvres noir sur blanc
(l'œil mi-clos pour faire rire
ou une seule dent pour faire peur)
j'étais je serai je suis déjà
la pierre solitaire oubliée là
le mot le seul sans fin toujours le même ressassé.

COMPTINE DES CIVILISATIONS

Pigeon vole voici voilà
voici la veuve voilée
harpe des douleurs
fleurie et transpercée
Vierge ou Niobé.

Voici voilà *en la arena*
le taureau qui s'est arrêté
il ne sera pas mis à mort
le public le torero
dans un verre d'eau se sont noyés.

Pigeon hibou vautour vole
vol à l'immensité
un fémur renversé
un osselet de pierre
pour prier pour siffler.

Le Sphinx Janus Uranus
je ne sais quels dieux trouvés
abandonnés oubliés
inconnus mais révérés.

118

Les ruines l'ossuaire
civilisations éteintes
les cités imaginaires
inhumaine vérité
bien au-delà de la Terre
s'endorment dans les stellaires
monastères ministères
cimetières.

Poussière poussière
poussière lumière
désert étoilé.

Le parquet se soulève
(sur six gravures de Max Ernst)

UN REPAS DE ROI

Bec de profil, terreur du monde
œil stupide et cruel
l'épaule puissante, élégante
bréchet en médaillon, hermine de plumes
et l'éventail de soirée,
près de la cime, Saturne
au plus fort du festin.

Sur ses genoux
une génisse aux seins nus qu'il déchire,
sous son pied volontaire
un poisson cormoran préparé

Dieu des dieux, roi des rois
il opère lui-même
ses sacrifices,
métamorphoses
simultanées.

CASSANDRE SORT DES PLANCHES

Si la vigilance de vivre
se relâche, si soudain
vous vous retournez,
prenez garde à l'horreur
la tragédie en chambre

Un instant de silence,
le parquet se soulève.
C'est Cassandre aveugle
trois bouches à feu
une robe de feuilles
femme-commandeur.

Ses deux mains de bois
au fond du corridor
désignent le Destin.

VEUVE EN MANTEAU DE VIOLON

Ailes de corbeau
au lieu de tête
la mèche d'une bombe
près d'éclater.
Jolis pieds de danseuse.
Souliers de la Samar,
Samarkande, ça marchande
cobras et chameaux.
(Dans cette boîte creuse
manteau de violon
œil de poulet œil inquiet
se cache un vautour.)

Au mur le portrait
de feu votre mari,
sans tête lui non plus.
En habit il s'est pendu
pour vous laisser veuve
avec vos problèmes.

OGRE CHANGÉ EN RONCES

Sa colère sans cause
vieillesse qui se venge
injustes soupçons
je le regarde, il m'observe :
son nez de condottiere
son œil aigu et froid
me font peur, je suis sa proie.

Mais si je penche la tête,
à travers ce furieux
la ronce et la feuille se montrent :
transparent il se mue
en buisson épineux
(ce n'est pas moins menaçant
l'œil est toujours dangereux).

Ogres immenses, dissimulés
dans le dessin des choses,
rosiers rébus féroces
à craindre, à déchiffrer.

SIRE VAUTOUR DAME PÉLICAN

La race des vautours
en cape de soir
se perd et si Madame
(née Pélican)
sous une jupe longue
montre sa gorge à demi nue,
je vois onduler sur sa hanche
une écharpe de flammes.

Déjà le pied fourchu
de l'Ennemi des hommes
pointe périlleusement.

La nacelle qui les porte
(une tête renversée)
s'élève avec la fumée.

CIGALE DE L'ESPACE

Toile, funèbre roue,
œil soleil araignée,
tu tournes dans ta cendre
le temps s'est effacé.

Entre ton piège solitaire
et le reflet des autres morts
se traîne sur le sable
la belle abandonnée.

Elle a pour ombre ses cheveux
invisible visage

mais je l'entends crier
cigale de l'espace.

Inutile supplice
elle sera brûlée.

Il y a vraiment de quoi rire

CASCADE DE GÉNITIFS

Seuil du roi de la nuit des fleuves d'or

Source du jour de la fin de l'enfance

Sifflement du charroi des météores d'avril

Sérénité de l'abandon des images du temps

Surprise du secret de la fin des batailles.

TÉLÉGRAMME

MOI JAMAIS CONTENT RESTER MÊME CHOSE
MOI TOUJOURS PARTIR NOUVEAU
FUIR ENNUI DU TOUJOURS MÊME
TOUJOURS ESPÉRER TROUVER FENÊTRE
AU BOUT TUNNEL APRÈS SUIE ET OMBRE
TOUJOURS VOULOIR BRISER ENTRAVES
OUVRIR PORTE SAUTER MONTER
LÀ-HAUT-LÀ OÙ NOIR-NOIR
S'ÉCARTE OÙ BRILLE AURORE
TOUJOURS FRAÎCHEUR TOUJOURS
INCONNU RECONNU.

(De nulle part. An zéro.
Signé : Personne.)

RÉCATONPILU
ou
Le jeu du poulet

pour Nicolas

Si tu veux apprendre
des mots inconnus,
récapitulons,
récatonpilu.

Si tu veux connaître
des jeux imprévus,
locomotivons,
locomotivu.

Mais les jeux parfaits
sont les plus connus :
jouons au poulet.

Je suis le renard
je cours après toi
plus loin que ma vie.

Comme tu vas vite !
Si je m'essoufflais !
Si je m'arrêtais !

LE VIVANT PROLONGÉ

(Avec naturel.
Familièrement, comme ça)

Le mort qui est en moi
s'impatiente

Il tape dans sa caisse
à bras raccourcis
Il voudrait qu'on le montre
une dernière fois.

Quant au vivant
ça va pas mal merci

pour le moment.

(1977.)

LE PRESTIDIGITATEUR

Je ne crois à rien à personne
sinon au petit magicien des bals d'enfants d'autrefois
le prestidigitateur miteux et blême
au visage ridé sous le fard.

Son haut-de-forme posé à l'envers sur un guéridon
il le recouvre d'un foulard rouge
et soudain
il le retire et voyez ce qu'il sort du chapeau :
un œuf un lapin un drapeau
un oiseau ma vie et la vôtre et les
morts il les cache dans la coulisse
pour un piètre
SALAIRE.

AU CONDITIONNEL

Si je savais écrire je saurais dessiner
Si j'avais un verre d'eau je le ferais geler et
      je le conserverais sous verre
Si on me donnait une motte de beurre je
      la ferais couler en bronze
Si j'avais trois mains je ne saurais où
      donner de la tête
Si les plumes s'envolaient si la neige fondait
      si les regards se perdaient, je
      leur mettrais du plomb dans l'aile
Si je marchais toujours tout droit devant
      moi, au lieu de faire le tour du
      globe j'irais jusqu'à Sirius et
      au-delà
Si je mangeais trop de pommes de terre je
      les ferais germer sur mon cadavre
Si je sortais par la porte je rentrerais
      par la fenêtre
Si j'avalais un sabre je demanderais
      un grand bol de Rouge
Si j'avais une poignée de clous je les
      enfoncerais dans ma main

gauche avec ma main
droite et vice versa.

Si je partais sans me retourner, je
me perdrais bientôt de vue.

TRAITÉ D'ESTHÉTIQUE

Une peinture en mouvement qui tourne autour
d'un objet immobile et masqué

Des transparences qui deviennent opaques en
chantant avec une voix d'enfant

Une musique invisible et silencieuse qui vous
donne mauvaise conscience

Une montagne de ficelles embrouillées et
pleines de fourmis

Des colonnades de vaisselle sale, les splendeurs
de la pollution

Les surfaces rampantes qui se gonflent
et fument dangereusement

Des rêves provoqués par une équipe (un analyste,
un peintre, un chimiste, un poète,
un policier, un masseur) pour ouvrir
les coffres et les crânes.

Des véhicules inhabitables, des monuments
              qui pensent pour tout le monde
              avant de nous dévorer.

Un tableau qui s'efface si on le regarde (ou
              qui se transforme en murmure)
Des rires qui soulèvent des orages, des
              méditations stupides qui
              s'effondrent et ensevelissent
              des peuples entiers
Un souvenir qui déforme le visage à la
              vitesse du vent.

Une voix monotone que l'on ne peut arrêter
              car elle habite les cloisons
Un théâtre permanent aux dimensions d'une
              capitale, posé sur de vrais
              tremblements de terre
Un bain d'où l'on sort rajeuni, mais dépouillé
              de toute chair
La barbarie dans le velours, les excréments
              sur le parvis des temples (ils
              se déroulent et deviennent cobras)
Un miroir qui se referme sur une femme
              et la déguste lentement
L'avenir qui se retourne tout à coup et
              consume le promeneur.

Un parfum pénétrant qui est *la clé* —
              mais que l'on perd
Une tombe qui vient toute seule quand
              on l'appelle
Un soupir inconnu une horloge abandonnée
              aux corbeaux

Le soleil qui s'éteint sur la mer et
              ne remontera jamais plus.

DÉSERTS PLISSÉS

(sur des « frottages » de Max Ernst)

Quand nous aurons déjoué les pièges rassurants
          les apparences paisibles
nous connaîtrons le sens de tout
le Strié le Pointillé le Déchiré
ce qui commence à ouvrir la paupière et ce qui
          est à demi effacé
le calme qui fait peur le mouvement fou
          qui s'accélère.
Nous saurons que le mort est un grand
          oiseau triste en forme de feuille
et quel drôle de petit troll gambade dans
          le vide si on pense à autre chose.
Nous serons les familiers du parallélépipède
          en faux col
de la table à tête de corbeau
du Kobold et de la Bretonne qui font
          rouler la terre un train d'enfer
          en sautant dessus comme sur un tonneau
de la dame noire en tronçons, du serpent
          mondain aux pattes molles
des Messieurs allumettes joueurs de castagnettes
de l'œuf enragé qui bondit sur le lézard mort
du vrai fouillis de je ne sais quoi qui est là
          pour confondre tout le monde

136

dans la conversation
de la patronne prétentieuse en chignon qui
charme un grand cerceau de cirque
de l'oiseau toujours l'oiseau des poutres
le bec et l'ongle prêts au bord
du gouffre incertain je veux
dire mesquin je veux dire
malin effrayant et risible
c'est tout un.

Voilà pourquoi les lacets de mes souliers
dansent la bourrée d'Auvergne
(le second fonce de la tête comme
un marlou).

Voilà pourquoi j'apprivoise une tapisserie-
hibou à deux têtes
un quidam végétal, manchot et drapé,
qui se fâche
un utérus qui fait le poisson
le grand Comique de la géométrie linéaire
(il en a un œil le petit triangle !)
le vrombissement du mollusque qui survole
le désert plissé de l'empreinte
digitale.

Voilà pourquoi en frottant mes rêves sur
le réel rugueux
j'ai su qu'il y a du clownesque dans
l'inquiétant, une bêtise des
monstres, une perfidie de
l'obtus.
Tout ce joli monde apparaît dans les
interstices et me montre
du doigt en pouffant
quand je me réveille avec des sueurs

froides dans la nuit la
plus transparente.

Mais moi la main dans la main avec la
            menace et le danger,
je dompte l'inconnu qui est partout
            c'est à mon tour de rire
et de provoquer l'impuisable Surprise
l'ennemi se replie en désordre je respire
            un nouvel espace
plus vaste et plus solitaire que l'autre.

Ordre et désordre

1.

Qui a raison
ordre ou désordre ?

Ni l'un ni l'autre
et tous les deux.

Ce qui m'échappe
n'a pas de nom.

2.

Étincelantes
incorruptibles
infaillibles
les mécaniques de l'esprit
mais le tumulte
est aussi vrai
et il suffit
d'un grain de sable.

Toujours la vague
sous le navire
Forces d'en haut
forces d'en bas
la pesanteur et la tempête.

Villes et rocs
monts et forêts
un coup d'épaule vous soulève
et le soleil se tait
sur les ruines.

3.

Les fusées
les idées
toujours
plus haut
font une brèche
dans la caverne
vers l'inconnu.

Il en revient
les retombées
qui nous ressemblent
souffrance et mort.

Toujours s'attache
à notre terre
l'inséparable
mobile et pâle
ombre de l'homme.

4.

Autour de l'arbre immobile
l'ombre qui tourne
dessine sur le sol
le mouvement du jour.

C'est l'amorce
d'un cercle parfait
et tous les cercles se ressemblent

mais toutes les feuilles
sont différentes.

5.

PETIT CALLIGRAMME

En hommage à
Guillaume Apollinaire.

LES TOURS
DE TRÉBIZONDE

Les tours de Trébizonde

À Marie-Laure.

De cet aquarium juché au cinquième étage de l'immeuble où évolue ma lenteur pensive et douloureuse de poisson pris à la nasse, de l'unique vitrage qui me sépare du boulevard, au-dessus du roulement continu des voitures, de cette paroi de verre qui miroite comme la surface gelée d'un lac de montagne, je vois au loin, vers le sud de Paris, s'allumer le soir, s'éteindre peu à peu la nuit, puis se déployer et prendre racine dans l'aurore, les hautes tours du « Quartier Italie ».

Ces formes redoutables de notre destin sont autant de pontons construits tout exprès pour dévorer des milliers et des milliers de captifs innocents, mais elles ressemblent aussi à des banquises secrètement travaillées par les soubresauts imperceptibles d'un départ toujours différé.

Voyez ! Avec l'agitation et les bruits qui augmentent, s'approche une fin de journée. Souvent sur le fond d'un ciel vert sombre, de ce ciel courroucé ou bienveillant, balafré de pâles plages de nuées, les tours les plus élevées (au nombre de quatre) commencent à jouer les phares portuaires dans l'immobile tempête urbaine.

147

Bien qu'elles soient presque imaginaires à force d'être anonymes et qu'elles semblent, par l'effet d'un inquiétant paradoxe dû à la distance, totalement inhabitées, elles ne cessent d'imposer leur présence, plus obsédante, plus menaçante que les pas d'un géant vorace et muet.

Tour à tour (c'est vraiment le mot!), dans la marée montante de l'obscurité, les minuscules et innombrables lanternes des fenêtres s'ouvrent, se ferment, s'ouvrent, se ferment, selon les mouvements inégaux d'une signalisation incompréhensible, de quelque énigmatique « alphabet Morse », puis, après avoir ainsi clignoté, elles s'illuminent toutes ensemble, comme si la raison de cet embrasement final n'était pas la communion obligatoire des reclus invisibles autour du repas du soir (servi à la même heure dans la cuisine des vrais pauvres et dans la salle à manger des faux riches), mais comme si ces nefs colossales, prenant consience d'elles-mêmes, ne cherchaient qu'à éclairer les passes dangereuses de leur immobile navigation.

Pendant des années et des années, se sont nourries de ce spectacle, qui me fait peur et en même temps m'intrigue comme un problème insoluble, mes nuits de mauvais sommeil, mais aussi, bien souvent, mes veilles fascinées et ravies, car (en été surtout) ces édifices vertigineux, qui semblent consumer la vie au lieu de la protéger, se changent en girandoles de fête, en châteaux du délire, sans autre réalité apparente que les points d'or qui les arrachent à la nuit. On dirait que leur pavoisement désordonné efface, ou rend soudain le support monumental de leur structure plus mince, plus fragile et plus flottant qu'une nappe secouée.

Demain, selon la coutume délicate du ciel parisien, je verrai les teintes successives du matin se fondre l'une dans l'autre, passer du rose tendre au gris bleuté, rivalisant, sur les bords de cette périphérie sans espoir, avec le rêve coloré des peintres les plus gourmands de saveurs et de nuances ; dès l'aube, ces vaisseaux, pris dans les vagues mortes du macadam, s'efforceront d'oublier leur sort et de sourire, lorsque leur face encore plongée dans l'ombre coupe, le long d'une arête verticale pareille à une falaise, la face offerte à la douceur du levant. Plus tard, s'étant fondues, vaporisées dans l'irradiation de la clarté solaire, puis, quelques heures après, s'étant, comme j'ai dit, effacées dans leur propre illumination électrique, les tours disparaissent enfin, absorbées par le silence de l'éloignement. Seule, alors, en pleine nuit, une vigie, pas plus grosse qu'un timbre collé en haut d'une enveloppe, quelque part sur l'abrupte paroi, révèle encore leur pesante masse endormie.

Au cours de mes dix ou douze années de veille, je me refuse à évaluer le nombre accru des morts qui se sont succédé, dans cet ensemble implacable du haut en bas de chaque immense columbarium — disparitions discrètes, manifestées seulement par la fermeture provisoire de l'une ou l'autre des fenêtres, petits hublots de l'asphyxie collective, étincelles furtives aussitôt suivies de leur cendre et j'ai enfin compris quel lien secret, dans le demi-sommeil de ma contemplation, ce paysage (occidental et terrestre par sa permanence aveugle, oriental et maritime par sa fantasmagorie nocturne) entretenait, au-delà des continents et des siècles, avec l'imagerie ensorcelée, évoquant la légende de saint Georges et de la princesse de Trébizonde, telle que l'a conçue Pisanello, à Vérone, pour l'église Sant'Anastasia.

Cette fresque, en partie abîmée, que l'on a, par précaution, détachée du haut mur primitif et transportée dans une chapelle voisine, mais qui a conservé l'essentiel de son pouvoir d'incantation, ce chef-d'œuvre naïf et savant, inspiré et tranquille, est de nature à provoquer, chez le spectateur émerveillé que je suis, une rêverie multiple et sans fin.

Je remarque d'abord que le tableau lui-même tient dans une surface mesurable, de moyenne grandeur, alors que, par la plénitude et la richesse des suggestions qu'il éveille, l'événement représenté semble s'étendre aux confins du monde.

Mais ce contraste entre l'espace matériel et l'espace mental ne s'arrête pas là. Dominées par un ensemble de tours fabuleuses, elles aussi étrangement désertes, toutes les figures peintes plongent dans un élément hors du temps, dans un bain de stupeur comparable à cette impression d'attente angoissée que nous éprouvons à l'approche d'un orage.

C'est sans doute la volonté, consciente et singulièrement subtile, de provoquer en nous un tel sentiment (on le retrouve dans d'autres œuvres du même artiste) qui a conduit Pisanello à maintenir ses couleurs dans une sorte de sourdine somptueuse, dans une gamme de modulations voilées, entre l'argent terni et les chamarrures noir et or, où affleurent çà et là les rondeurs luisantes de l'ivoire. (Si, comme il est vraisemblable, cette atténuation est due en partie aux intempéries et aux moisissures, on peut aussi supposer que l'harmonie générale de la fresque, telle qu'elle était perçue à l'origine, était analogue à celle d'aujourd'hui, mais dans une tonalité plus sonore, avec des détails aux couleurs plus vives et plus aiguës.)

Quant aux attitudes des personnages du drame (décor et animaux compris), ce ne sont partout que départs retardés, gestes en arrêt, mouvements amorcés et tout à coup bloqués, suspendus entre la menace d'un cataclysme imminent et la mémoire d'un temps mythique. On pourrait supposer que le peintre, en équilibre entre ses deux sollicitations majeures, entre la précision de la vérité naturaliste qui ouvre la Renaissance et la nostalgie, déjà surannée, de la fable médiévale, a voulu nous glisser dans la main la clé perdue des symboles, dont le secret est peut-être de nous faire revivre « à la demande » les phases toujours les mêmes et cependant toujours rajeunies d'un rituel à la fois magique et sacré.

★

Là, debout, face à nous, il vient d'arriver, ce jeune homme songeur qui est un saint, mais aussi un guerrier. Sa forte jambe droite, gainée d'une cotte de mailles, fait un pas décidé vers son coursier — et déjà son bras gauche pose la selle sur le dos du cheval blanc, dont nous ne voyons que la croupe énorme, sanglée dans un harnachement de cuir doré.

Il est accouru, le front ceint d'une couronne de boucles blondes, ses grands yeux de femme tournés du côté du Dragon (mais sans le regarder encore, de peur d'être affaibli par l'horreur). Sa face camuse et réfléchie exprime la détermination, la fatalité acceptée, la certitude invincible, mais elle est aussi le visage même de la tristesse, car il est triste de tuer, même un monstre, même un dragon de sang et de feu et de répondre au défi des puissances maléfiques pour confirmer, selon les mystères d'une contradiction sans remède, la suprématie de la Foi.

Bien qu'il se soit mis en route pour cette périlleuse et longue randonnée jusqu'aux rives de la mer Noire (au-delà de l'eau glauque et du ciel bleu pâle, il semble que l'on aperçoive une sombre montagne) et bien qu'il connaisse les charges de sa mission surhumaine — la délivrance d'une jeune princesse offerte en sacrifice à la mort la plus affreuse — il ne daigne même pas tourner les yeux vers la tendre victime promise. C'est comme si

151

le drame ne concernait que nous seuls, nous qui sommes perdus dans le futur, spectateurs frissonnants rassemblés devant la scène de ce monde.

La Princesse, de son côté, par l'élégance insouciante de son maintien, paraît absente de la tragédie qui la menace directement. La venue de son défenseur a-t-elle, en un instant, effacé toute crainte sur son visage lisse et enfantin ? Ou bien, non prévenue de ce qui l'attend, s'est-elle crue invitée, ce jour-là comme un autre, au grand tumulte féodal des matins de chasse ? Ou bien encore est-elle déjà morte et, aussitôt ressuscitée, a-t-elle pris pour toujours le masque léger de l'innocence et de l'oubli ?

On la voit de profil, elle n'est séparée de Lui que par la largeur d'un cheval. Son front, sommé d'une masse de cheveux rejetés en arrière, serrés dans les entrelacs d'épaisses cordelettes brunes, est éclairé par le globe de l'œil : un mince éclat de porcelaine blanche qui attire notre regard sur le sien et le sien sur saint Georges. Son manteau de teinte foncée, rehaussé d'hermine, étend sur le sol sa traîne aux nombreux replis, tout près d'un cavalier casqué au visage enfoui dans l'ombre du heaume, une énorme lance à son poing : il dirige vers nous la tête, fine comme un violon, de son cheval mauve et gris dont le profond regard, noir de toute la noirceur du pressentiment, *est analogue, par l'intensité de sa douleur et de sa mélancolie*, aux grands yeux tristes du Héros.

Elle est descendue, la jeune fille, du haut de la cité fantastique (pourtant déserte à cette heure fatale) dont on ne voit, au sommet d'une colline abrupte, derrière un repli de terrain, que les tours à l'architecture compliquée, ces tours fameuses, échappées d'un Moyen Âge irréel, ces tours dévoratrices et muettes, parentes de celles qu'aujourd'hui je scrute avec angoisse à la périphérie d'une capitale moderne !

Le temps, subitement, se contracte, les images se superposent. Seigneuriales ou populaires, religieuses ou profanes, de style gothique ou d'inspiration cubiste, ces insolentes levées de pierre ou de ciment, qu'elles soient surchargées d'ornements sculptés ou ajourées de fenêtres toutes identiques, n'ayant, les uns et les autres, que la couleur du vent qui tourne autour d'elles, de la lumière qui les anime et du grand fleuve temporel qui les emporte on ne sait où, elles figurent, pour mon esprit effrayé, la même tentation, transmise de siècle en siècle, de revêtir d'une cuirasse (qui est, à vrai dire, un tombeau) la vulnérable et pullulante espèce des hommes, bonne pour être cueillie par les ogres insatiables dans les alvéoles des ruches citadines, comme autant de minuscules crustacés.

Justement là, à la gauche de la fresque, relégué dans le coin des rebuts et des déchets, voici le monstre affamé, sous la forme d'un énorme lézard, brun sale et pustuleux, replié sur le tas de ses proies récemment terrassées, où des biches encore vivantes, bétail mis en réserve de nourriture, côtoient les crânes humains en train de se confondre avec le sable et le roc. Il tend son abominable museau, deviné plutôt que distinct, qui, sans doute, finit de déguster la vie agonisante. Jamais n'a été formulé à ce point le contraste entre l'horreur dévastatrice qui est la loi du monde vivant et la beauté des victimes désignées, cette beauté incorruptible et hors d'atteinte qui n'est que le reflet de nos désirs exténués et le dernier recours de notre désespoir et qui pourtant se hausse au niveau souverain d'un triomphe sans récompense.

Très loin, là-bas, on aperçoit la mer, où un navire aux flancs bordés par l'écume de son sillage, à la voile arrondie par le vent, vogue de toute sa vitesse de notre côté, c'est-à-dire vers l'écueil, vers le crime et vers le naufrage. Tout auprès sont alignées, sous les portes de la ville, les faces cruelles et larges, aux regards fixes (on dit qu'ils ne sont pas de la main du maître, c'est donc qu'ils n'étaient pas dignes de lui !) de l'Empereur et de sa cour, capitaines et forbans, accompagnateurs et voyeurs fascinés qui espèrent le pire. Plus haut encore se dresse un échafaud où tournent deux pendus, déculottés selon l'usage du bourreau.

Et puis, et puis notre regard se heurte aux tours de cette cité imaginaire, fondée quand la Légende rejoignait l'Histoire, érigeant maints édifices d'un marbre ouvragé, pareils, eux aussi, à des ossements, tours de défense et de guet pour des soldats absents (ou peut-être cachés), tours de tocsin et de prière qui se taisent (ou qui peut-être attendent l'heure de sonner) substituant avec splendeur, grâce aux sortilèges d'une vision du Quattrocento, les fortifications crénelées et les ogives, apportées par les chevaliers d'Occident, aux coupoles et aux dômes que l'on s'attendrait à trouver dans ce grand port du Pont-Euxin, rejeton émancipé de l'impériale Byzance.

C'est là, dans ce lieu des métamorphoses, entre hier, aujourd'hui et toujours, c'est là que, pour le bénéfice tantôt extasié, tantôt horrifié, de ce somnambulisme qui me sauve et de ces apparitions inexplicables qui m'enchantent, se sont rencontrés les tours de Trébizonde et celles (si bien nommées) de la place d'Italie, les figures rêvées et décrites par un peintre de génie avec le même soin et la même précision qu'un lévrier de meute ou un cerf debout dans la forêt, le Dragon dont la queue fait les mêmes replis que la traîne de la Princesse, les pendus et la voile du navire poussés par le même ouragan, un héros triste à mourir, la mélancolie fraternelle du cheval, la feinte indifférence de la victime et enfin, et enfin, notre sort à nous tous, passagers d'une flotte immobile, condamnée à rester, jusqu'au prochain désastre, à l'ancre dans le port, près du charnier que le monstre inassouvi, malgré la lance de saint Georges, pourvoit et accroît chaque jour.

(Paris, 1-3 février, San Felice del Benaco, 7-20 août, Gerberoy 25-30 août 1983.)

Mon théâtre secret

À Gérard Macé.

Le lieu où je me retire à part moi (quand je m'absente en société et qu'on me cherche, je suis là) est un théâtre en plein vent peuplé d'une multitude, d'où sortent, comme l'écume au bout des vagues, le murmure entrecoupé de la parole, les cris, les rires, les remous, les tempêtes, le contrecoup des secousses planétaires et les splendeurs irritées de la musique.

Ce théâtre, que je parcours secrètement depuis mes plus jeunes années sans en atteindre les frontières, a deux faces inséparables mais opposées, bref un « endroit » et un « envers », pareils à ceux d'une médaille ou d'un miroir.

De ce côté-ci, voyez comme il imite, à la perfection, l'inébranlable majesté des monuments : il semble que je puisse compter toutes les pierres, caresser de mes mains le glacis du marbre, les fractures des colonnes, la porosité du travertin...

Mais, attendez : si je fais le tour du décor (quelques pas me suffisent), alors, de l'autre côté de ces apparences pesantes, de ces voûtes et de ces murailles, mon regard tout à coup n'aperçoit plus que des structures

157

fragiles, des bâtis provisoires et partout, dans les courants d'air et la pénombre poussiéreuse, auprès des câbles électriques entrelacés et des planches mal jointes, la toile rude et pauvre, clouée sur des châssis légers.

Telle est la loi de mon théâtre : à l'endroit, les villes et les paysages, la terre et le ciel, tout est peint, simulé à merveille. À l'envers, l'artisan de ce monde illusoire est soudain démasqué, car son œuvre, si ingénieuse soit-elle, révèle, par transparence, la misère des matériaux qui lui ont servi à édifier ses innombrables « trompe-l'œil ». (Souvent je l'ai vu qui gémissait, le pinceau à la main, mêlant ses larmes à des couleurs joyeuses.) Pourtant, bien que je sois dans la confidence, je ne saurais dire où est le Vrai, car l'envers et l'endroit sont tous deux les enfants du réel, énigme qui me cerne de toutes parts pour m'enchanter et pour me perdre.

C'est sur ces échafaudages, tremblants et vides, mais très hauts, comme la voilure des trois-mâts, c'est là que se déroule, nuit et jour, l'inépuisable spectacle, sous les rafales tournantes des phares dont la source inconnue met au monde les fables qui, depuis l'enfance, m'ont nourri sans me consoler.

Ici, rien ne s'accroît ni ne diminue. L'horloge du beffroi reste au point mort, midi ou minuit, je ne sais. Les arbres ont adopté, chacun, une saison et n'en changent plus : côte à côte les uns sont couverts de fruits, les autres de neige. Le printemps coexiste avec un automne aviné et la femme aux seins lourds, aux yeux clairs et rieurs, jouant les rôles de servante, ne vieillira jamais.

Ici, plus de ménage, ni de marché ni d'hôpital, adieu béquilles et pansements, paniers à provisions, temple de l'esclavage, ni les congrès, ni la messe, ni canons, ni chars, ni tombeaux, ni l'heure de la soupe, ni l'heure de mourir, ni l'école, ni l'église, ni le bordel, ni les petits malins, ni les grands magasins. Allez au diable, peste de l'habitude, horribles riens de tous nos jours !

Ici, dans l'étendue redoutable et frémissante des coulisses — vraies et fausses comme l'Histoire —, les habitants qui vont et viennent sans se connaître, occupés à des jeux ridicules, à des crimes incompréhensibles et sacrés, portent les vêtements de tous les pays, de tous les âges — et je suis leur contemporain.

On me dit, mais je ne l'ai jamais vu, que, dans cet empire opulent et dérisoire, il y a des lieux cachés où, pareils aux femmes de Barbe-Bleue pendues dans l'armoire interdite, sont rangés tous les personnages dont nous ne sommes que les ombres, prêts à s'ébrouer au premier signal du régisseur et à monter en scène, selon la suprême ordonnance du programme, dans une réitération furibonde.

C'est que s'affirme ici, contre les désastres du feu, de la guerre et de l'eau, la toute-puissance du Texte, fixé en lettres et en images, sur les feuilles des grands livres, où les rumeurs du parler des peuples, conservées dans les herbiers de l'écriture, se taisent pour se maintenir. S'il est des jours où luit le miroitement des rayons sur l'océan, si les amoureux échangent des sanglots pour des baisers sans fin, si les conspirateurs, fourbissant leurs armes dans les tavernes, feignent de boire dans des gobelets de carton — quoi qu'il arrive, je sais que tout est d'abord désigné et inscrit —, avant d'apparaître sous les projecteurs et que rien de ce qui fait semblant de vivre et de mourir n'échappe aux plus fragiles et aux plus minces des supports : la feuille imprimée, les panneaux du peintre, la grille ailée des musiciens.

Souvent des cloches, lourdes ou grêles, parfois le sifflement d'une locomotive à vapeur, un gong, un clairon nasillard, un glissando de harpe, le roulement d'un tambour voilé, s'échelonnent du proche au lointain, rendant le silence et l'obscurité plus profonds encore et la lumière plus glauque, car le prélude est fait pour être deviné plutôt que compris, pour créer une attente curieuse ou angoissée, selon les rites de l'orage, avant que le tonnerre ne s'approche et que la foudre, dans le plein accomplissement de l'orchestre, ne nous apporte enfin la délivrance, le châtiment des innocents.

Peu après, éclate la Fête.

D'abord viennent les balayeurs, soldats de plume et de paille, aux gestes unis en cadence, troupe aussi nombreuse qu'une harde en forêt, aussi policée qu'un ballet de cour.

Alors les ténèbres des décors s'éclaircissent peu à peu : quelques points çà et là, puis d'autres, beaucoup d'autres et la scène s'embrase en retard, comme si la lumière était plus vaste que les lampes.

Ensuite le corps des balayeurs se disperse ou plutôt je passe au travers de ces taciturnes fantômes et la représentation peut, enfin, commencer.

L'innombrable théâtre vient à moi, qui suis seul dans la salle. Souvent aussi, c'est moi qui vais à sa rencontre. Je m'avance, écartant le murmure des acteurs et découvrant les scènes successives, qui s'illuminent au fur et à mesure de ma promenade inquiète et ravie.

Il n'est pas rare qu'au détour d'une rue pavée de dalles à l'antique, j'aperçoive, assise nue et jouant de la flûte à deux becs, une jeune musicienne dont les contours délicieux sont à peine ombrés (car elle vient, pour commencer à vivre, de se détacher de la pierre), et, quelques pas plus loin, sur un fond de ténèbres fumeuses et sifflantes une longue femme hagarde qui cherche à effacer sur sa main une tache indélébile. L'une est mon loisir, ma volupté, l'autre ma souveraine, ma mère, mon amante impitoyable.

Mais mon propre rôle n'est pas seulement d'être le spectateur. Je gravis parfois les degrés jusqu'à la scène, où je me sens transfiguré. Je joue, je vocifère et tantôt je déclame l'ardente conjuration, la plainte sans espoir, l'adieu cruel, prenant à témoin les lumignons des corridors et les toiles d'araignées, tantôt j'apprends à me taire, roulant des yeux sous mes sourcils et méditant une vengeance assassine contre un ennemi dont je ne sais rien, sinon qu'il veut ma perte et la disparition de tout ce que j'aime.

Aussi quand les Puissances invisibles qui me gouvernent, bien en deçà des enfers, me disent de tuer, alors je tue !

J'ai, pour cela, un arsenal complet d'armes de diverses sortes et de multiples provenances : sabres de bois, sabres de samouraï, fusils à pierre, à tromblon, au canon scié, des pistolets militaires, des revolvers de western, des couteaux larges et longs comme des pelles à tarte.

Ce qui se passe ? Voici : mes victimes se dressent à point nommé, plus menaçantes que le bourreau, mais déjà condamnées, le cœur désigné par un point rouge — et déjà elles s'écroulent, un centième de seconde *avant* que je n'aie tiré ou que je n'aie frappé.

En vérité, sous l'effet d'une fatalité dont je ne suis que l'exécutant (ou le prétexte), elles s'écroulent sans un cri, sans un râle et un petit nuage s'élève du sol sous la chute des corps, lourds comme ils sont et chargés d'oripeaux, de vêtements chamarrés, de baudriers bien garnis, parfois de sceptres et de couronnes. Les balayeurs aussitôt, sur la pointe des pieds, enlèvent ces vestiges et vont sans bruit les ranger plus loin dans le vestiaire vertigineux.

Ailleurs, sous un balcon chargé de glycines en papier, il est arrivé que je m'égare au milieu d'un grand salon éclairé de lustres en cristal, où des rentiers louis-philippards en costumes aux tons délicats : puce, chamois, beige, gris perle, robes en cloche, bijoux

161

éblouissants, échangeaient de fades propos. Mais au moindre souffle, au revoir ! Les visages s'effacèrent, les perruques blondes, les barbes noires ont jonché le sol. Tout s'effondrait, les vêtements étaient vides.

Mais encore, qui pourrait rendre le pas, qui s'envole et retombe mollement — si lourd, accompagné par les ictus des basses, si léger dans l'escalade aiguë des clarinettes —, de ce Pierrot classique, ravivé par l'imprévu des dissonances, le même peut-être, qui, de face, autrefois, immobile et l'œil fixe, sous le nom de Gilles, trahissait l'hébétude et la fatigue de savoir que tout est vain ?

Explose alors une gerbe de fleurs jamais vues, tisons assourdis sous la cendre. Oui, sur les murs de mon théâtre, tachés de rouille, griffés de rayures à peine discernables et de « bonommes » en graffiti, des corolles bariolées font alterner ou se joindre un bleu promis plutôt que tenu, le vert puisé dans une mémoire profonde, le violet qu'il faut imaginer pour y croire. Avec les senteurs qu'ils suggèrent, ces pétales poudrés de pollen éclatent comme des sons, comme des cris et je n'ai pas à les cueillir, car ils sont, en moi, une réponse possible et victorieuse au blond sapin capitonné qui nous attend.

Arrive, à ce moment, une fanfare citadine qui marque le pas d'une petite troupe en marche. Les buffleteries, les larges ceintures de soie sur des redingotes rebondies, les manches de dentelles, les visages surmontés de chapeaux enrubannés surgissent dans la nuit (on les distingue à peine à la lueur des lanternes).

Après leur passage et le bruit des bottes qui décroît, porté par l'écho des canaux dormants, tout retombe dans une épaisse obscurité. S'avance alors une autre figure de femme, grande et mince, elle ausi, mais ses longs vêtements de bure, sa coiffe de nonne et la rigueur anguleuse de ses gestes sont inscrits dans une géométrie savante, soigneusement dissimulée. Elle élève au-dessus de sa tête une torche de résine dont la flamme toute droite l'éclaire d'un seul côté. Elle se penche et découvre à ses pieds, sur la paille, le corps ridé de Job, reconnaissable à sa maigreur extrême.

À peine cette vision a-t-elle tremblé dans mon regard, la voici qui vacille et s'éteint. J'entends un déclic mécanique aussitôt suivi du grignotement saccadé d'un film qui défile. Surgit la vision grisâtre d'une banlieue pauvre de New York, où se disputent des enfants déguenillés et où s'avance en sautillant un petit homme qui fait des moulinets avec sa canne.

La moue qui agite sa moustache noire, l'équilibre menacé de son chapeau melon, tout exprime à la fois une mélancolie sans remède et la dérision qui venge le malheur. Soudain, il se retourne et s'éloigne. Il court vite, chevauchant un énorme sillon dans un champ si monotone et si vaste qu'au loin déjà il n'est plus qu'un point, le signe de la fin des temps.

Surtout, ne venez pas me réveiller ! Ne marchez pas sur l'or factice de mes spectacles ! De ce côté-ci où je demeure, solitaire et oublié comme si déjà m'abritait mon sépulcre, je vois les temples superposés dont les degrés fatiguent les géants, tandis qu'un peu plus loin, s'assombrit l'horizon orageux où des cavaliers au manteau déployé par le vent galopent sur une route en lacets et que les feuilles mortes s'éparpillent dans l'air, accompagnées d'oiseaux qui sont les traits mêmes de l'idéogramme vertical, distincts et nets sur la rondeur de l'astre rouge...

Dans mon théâtre se succèdent, à la vitesse du rêve, un faux malade qui crache du vrai sang et qui, pour nous sauver, agonise dans son rire, la grâce divine des voix et des violons, entraînée vers la mort par une main de pierre, au glas répété des timbales, un ascenseur qui ne cesse d'aller et venir entre les sous-sols et les cintres, faisant descendre sur des nuages les dieux arrogants de l'Olympe et monter des enfers provinciaux une famille en noir qui cherche son auteur.

Pardonnez-moi ! J'ai eu parfois l'audace impie (sans prévenir l'Économe ni les machinistes) d'introduire en fraude, dans le magasin général, quelques menus accessoires (par exemple un trou de serrure, un guichet d'ancienne gare, des pupitres où nul ne chante) et de vous passer, comme une maladie, quelques-uns de mes songes animés : la confusion des mots (ce masque d'un profond silence), la détresse de ceux qui n'auront jamais le droit d'être vus de nos yeux, la foule qui se referme sur les amants pour les dévorer dans un souterrain, le pernicieux sommeil qui lâche la bride à nos monstres — et ce pressentiment dont je ne suis pas digne et que nul ne fait qu'entrevoir.

Adieu ! J'ai trop parlé, mais je suis libre... Je fais ce que je veux avec ce que je crois savoir et ma mémoire fouille sans fin dans le monceau des choses que j'ignore.

Encore quelques enjambées dans cette course haletante vers le secret qui se dérobe (dont j'entends le rire d'enfant, dont je perçois la lueur dansante) et je parviendrai à retrouver, dans ce théâtre d'ombres, ce que peut-être j'ai su dans un autre temps, sous une autre enveloppe et que je cherche sans relâche et que j'ai oublié.

La vérité sur les monstres

(Lettre à un graveur visionnaire)

Heureux le visionnaire dont la seule arme est le stylet du graveur et qui part seul à la chasse de ses cauchemars pour pouvoir vivre ensuite délivré, sans succomber à la faiblesse de maudire la Création.

Il est pareil à l'anachorète de la légende sacrée, à saint Antoine qui, lui aussi, dans son désert hanté d'apparitions, avait peut-être besoin de combattre les monstres nés de la tentation du désespoir et des mirages du désir, pour pouvoir rejoindre, après l'orage des fantasmes, une solitude préservée.

Moi que rien ne protège contre mes monstres secrets, qui me donnera le courage de les sortir au grand jour, de désigner ce que je crains et qui déjà m'habite comme une promesse qui serait, en même temps, une menace ?

Pour mener à bien cette tâche redoutable, il me faudrait user d'un outil plus acéré et plus souple que le commun langage. Si je me contente d'assembler, dans un ordre imprévu, les termes de tous les jours, arrive-rai-je à en faire des hybrides comparables, pour leur bizarre et fascinante beauté, aux fantastiques décou-vertes que nous ont léguées ces pionniers de l'inconnu, ces navigateurs de l'invisible, les Jérôme Bosch, les Odilon Redon, les Max Ernst, — et Méryon parsemant le ciel, place de la Concorde, de chevaux ailés, de poissons volants, et vous que je ne connais pas, mais dont j'admire les images surprenantes, fixées par un burin cruel et précis.

J'envie l'inventeur de formes qui peut, comme vous le faites, imaginer, par exemple, un signe expressif qui n'existe dans aucun alphabet, un caractère dont vous seul possédez le sens et la clé, qui commence par un profil d'oiseau et finit par la lettre S ou le chiffre 8 !

Moi, si je dis : vagin-bec, œil-de-queue, pied-couille, torse-tête, anus-oreille, serpentestin, ventre-pied, verrez-vous autre chose que l'aspect comique de ces rapprochements verbaux ? Non, vous n'y verrez pas ce reflet inquiétant, à la fois funèbre et rêveur, qui change la tonalité du discours comme l'ombre d'un nuage de tempête et qui vient peut-être de l'enfer.

C'est qu'il ne s'agit pas seulement d'un jeu gratuit. En mettant bout à bout l'origine et la fin, en bousculant l'ordre apparent, un commandement mystérieux nous invite à saisir une vérité cachée, une vérité qui pourrait être une surprise déplaisante, et même abominable.

La surprise, pour l'instant, c'est l'identité du possible et de l'impossible, car le rêveur inspiré, plongeant sous l'humus de ses songes, en retire des monstres, d'une autre sorte peut-être, mais égaux en beauté et en imprévu à ceux que la vie invente sous nos yeux.

Les fonds de l'océan, habités de naufrages, où le végétal et l'animal, empruntant même le secours du règne minéral, échangent leurs formes effarantes, le pullulant empire des insectes régi par les ruses impitoyables de l'espèce, acharnée à détruire pour survivre, ce sont les cauchemars du vrai, les rêves frénétiques du réel.

Dans le grand théâtre du Pire, nos songes sont les mêmes, leurs motifs sont les mêmes : le désir et la mort.

Lorsqu'un artiste imagine les grimaces du Démon assiégeant l'antre obscur de l'ermite entre deux prières épouvantées, il ne fait qu'obéir aux « tentations » de la Nature, qui se fraient un passage dans notre esprit autant que sur la terre, dans les airs et dans les eaux.

Qui dit mieux ? La vérité des choses ou la vérité de l'art ? De part et d'autre la surenchère est de règle. Il n'est pas ici de trompe qui ne dégage un nauséeux produit, gluant et suant le venin. Il n'est pas de femelle qui ne dévore son mâle après l'acte procréateur, pas de tête qui ne se termine en fouet, en cornes ou en pinces, pas une patte qui ne trempe dans une glu fécondante. Les ailes mouchetées d'or sont des pièges comme la danse du voile des méduses et quiconque est séduit est aussitôt croqué.

Haletant et émerveillé, j'éprouve un plaisir pernicieux à suivre votre vision inimitable où l'exactitude souligne et fortifie le sortilège, où la grâce couronne l'innommable. Mais ce n'est pas tout : les êtres que vous engendrez ont cet avantage terrifiant de rester devant nous absolument muets, de s'imposer sans un cri, sans un mot. Le monde enchanté de vos hantises est comparable au sol des mers, agité de secousses incessantes, là où évoluent, dans un silence et une lumière de sépulcre, les dévorateurs-dévorés, les grondants et les tremblants, les prédateurs et les victimes pourchassées, les poissons-fantômes et les arbres faussement endormis dont les rameaux flexibles ne savent pas faire autre chose que de manger, lentement inexorables et toujours affamés. Gare à qui se fie à ce calme apparent ! C'est un monde frappé de stupeur, qui semble attendre on ne sait quoi, le cataclysme ou la délivrance.

Sur vos pas se lèvent en foule des personnages *qui pourraient exister*, qui existent sûrement et que peut-

167

être même nous rencontrons en secret lorsque nous somnolons autour d'une tasse de thé dans un banal salon bourgeois couvert de peluche rouge et or, semblable aux bas-fonds marins.

★

Voici l'un de ces enfants de vos songes, qui s'avance vers moi en ouvrant deux cuisses courtes et adipeuses où apparaît un sexe féminin pourvu, chose rare, d'un long nez : entre ses lèvres fines, au-dessus d'un menton elliptique, il fume une petite pipe. Au-dessus de ce nez, un anneau de cheveux plats laisse apercevoir deux yeux allongés, langoureux, souriants (mais ce sourire fait frissonner), puis deux oreilles très détachées. Enfin cet anneau de Saturne en fourrure se trouve lui-même surmonté par la calotte d'une paire de fesses meurtries. Ainsi tout serait rassemblé des parties les plus délectables de la femme — la bouche et le sexe à côté du derrière, ainsi que les organes de la vue, de l'ouïe et de l'odorat — et tout serait pour le mieux dans cet objet défendu si le raccourci inhabituel de ses formes, la cellulite partout présente sous la peau grasse et tendue, si tout ce débordement de goinfrerie et de luxure n'évoquait pas les rondeurs d'un goret plutôt que celles de Vénus et si (détail déconcertant) les genoux de cette dame goulue n'étaient prolongés par deux petits doigts plissés, rabougris comme deux pénis atrophiés mais érigés quand même, introduisant au cœur de la cantilène féminine je ne sais quelle dérision du motif masculin.

À peine ai-je reculé devant cette Mélusine, devant ce Charybde menaçant que je tombe dans le Scylla d'une femme-serpent dont il ne reste — ici encore, mais cette fois, de profil — qu'un grand nez collé à un grand œil sans front et les circuits de son corps de couleuvre,

168

tandis que sur son dos arrondi et luisant, trois mains enfantines tracent des croix : mais attention ! Ce sont des mains volantes qui viennent de descendre du ciel en piqué et dont l'avant-bras figure un bec d'oiseau à langue de vipère.

Ne partez pas, de grâce ! Je vais tout vous dire, tout vous montrer de cette ménagerie ensorcelée.

Qui court, là-bas, sur une planche à roulettes molles, conduite par un hippocampe ?

C'est l'Oiseau-Z, un cou poilu qui se termine par deux fesses dont les replis abritent des yeux assassins d'Andalouse.

Qui s'accroupit pour pondre ? C'est la chèvre morte aux ailes de feuilles et son mari, sanglier-éléphant dont l'entrejambe laisse se dérouler un cobra issu d'une coquille d'escargot et dont les doigts sont des champignons qui se vengent de leur fragilité par leur talent d'empoisonneurs.

Quel est ce rêveur triste qui enfonce quatre doigts, l'un dans sa propre oreille, le second dans sa narine unique, les deux autres sous ses paupières ?

C'est le personnage le plus résumé que je connaisse : où finit le pied commence aussitôt la main. Cette main fouille la tête.

Quelle est cette danseuse aux jupes relevées qui se termine en haut par une tête de cigogne, en bas par des jambes boudinées enserrant un sexe de petite fille ?

C'est sans doute la sœur de cette autre paire de cuisses qui laisse un nœud de serpents, chacun d'eux terminé par un œil, envahir ses entrailles comme un bouquet de vers sur une charogne.

Autre part, un penseur au grand œil beaucoup *trop* intelligent, aux bras énormes et pileux, tient dans sa main gauche la moitié de sa tête et dans l'autre trois petits corps de femmes, bien faites quoique naines, qui viennent juste, on dirait, de naître dans son cerveau et qui se trouvent l'une à côté de l'autre serrées comme sardines en boîte. Le penseur est, du reste, si court sur pattes que son péplum antique aux plis droits n'est pas plus haut que ses épaules : le bout de ses pieds qui dépasse touche presque à ses coudes.

Non loin d'ici, un autre monstre au ventre énorme, aux jambes épaisses et très courtes, joue du violon sur sa propre tête penchée.

Que de petits poissons bossus pour faire un torse féminin ! Que de boursouflures de chair pour bâtir un centaure aux bottes incorporées, à la chemise de peau retroussée sur un ventre bedonnant flanqué d'un derrière latéral comme d'une énorme tumeur et croisant ses bras d'homme sur un torse de poulet !

Entendez les borborygmes de cette figure à pattes, dégorgeant, par un immense naseau ouvert et ensanglanté, une autre figure hébétée qui la regarde !

Enfin l'amour se couronne lui-même et s'apprête à célébrer ses propres funérailles, ô gland à tête de mort greffé, par un gilet de prépuce à boutons, sur une paire de couilles géantes, aux godillots de soldat ; à ses côtés un gracieux vagin de demoiselle, déboutonné sur deux grands yeux verticaux et terminé par un bec de canard, danse avec ses jambes élancées dont les pieds sont aussi des becs et des yeux.

★

ESSAI DE RÉDUCTION PROGRESSIVE
À PARTIR
DU PRÉCÉDENT PARAGRAPHE

Réduction 1

Imaginez un gros gland, benêt au col étranglé par un prépuce épais, plissé et boutonné sur le devant, faisant

170

office de gilet. Branché sur cette tête obtuse (deux petits trous pour les yeux), le corps est tout entier formé par deux énormes couilles velues, supportées par de très courtes jambes aux souliers cloutés de fantassin. Auprès de lui son épouse, une sorte de cane, danse une danse élégiaque, inquiétante. Mince tout du long, son corps est décousu de longues ouvertures verticales, qui sont des vulves en chapelet, cependant que ses jambes fines se terminent par un œil en bec de canard.

Réduction 2

Vaginez un gros gland benêt, col strangulé par un gibus prépais, plissoutonné devant. Branché sur cet obtus (percé de deux pitrous), cela se meut sur de courtes jambules aux groussiers de flantassin. Auprès de lui sa pouse, cane galante, danse sur ses deux jamblisses. Tout le long de ce cou de corps s'ouvrent des valvules qui sont des vaginules verticales et ses jambines se termoussent en bec d'ocules.

Réduction 3

Vaginos gambenêt frigilus plissou. Boptu pitrou jambeglousse flanssin. Pousalance jamblance. Couvules vaginicules jambules.

Réduction 4

Vagibên pressou ptutrou jamboussin. Pousalance cougingambules.

171

Réduction 5

★

De même que le cauchemar des artistes, les monstres de notre vie, hors de nous et en nous-mêmes, tiennent un double langage : celui qui plaît et qui séduit, celui qui grimace et fait peur.

Mais comme la réalité est une et indivisible et comporte autant de songes que de choses, cela revient à dire que notre intelligence, lorsqu'elle considère un objet incompréhensible, a deux regards : l'un pour l'inquiétant et l'affreux, l'autre pour la splendeur.

Cette double option, nous la retrouvons à tous nos pas, dans tous nos actes : l'image en est simple et lisible, non comme une fable ou un symbole, mais comme une expérience réelle, vécue dans notre chair.

Je vois la beauté : un corps de femme, un œil d'enfant, une chevelure, une fleur entrouverte, le pelage d'un félin, la joaillerie d'une peau de reptile, les couleurs bigarrées d'un poisson.

Tournez de l'autre côté : voici l'envers du décor, les coulisses, les machineries terribles et répugnantes, les viscères puants.

Ma tentation, comme celle qui tourmentait saint Antoine, mais transposée sur un autre mode, c'est de m'attarder à la contemplation des monstruosités que recouvre et cache l'épiderme du vivant : dans les souterrains de nos organes, grouille, au milieu de l'agitation ininterrompue de liquides visqueux, un peuple incommensurable d'infiniment petits, acharnés à s'entre-détruire, qui me font tel que je suis et qui pourtant me sont étrangers. Ma tentation, ma honte et

172

ma terreur sont de m'abandonner à cette multitude obscure qui me compose, de n'être plus rien que cette redoutable matière, agitée et aveugle, incessamment brassée, incessamment mouvante et renaissante, château de cartes dont le faîte est ce fantôme éphémère, hypothétique et menacé : moi-même.

Mais quand je me reprends, quand la « tentation » cesse, je m'aperçois que tout n'est pas dans l'invisible, l'anonyme et l'obscur. Le monde visible m'accueille, cette autre moitié de notre vie. La surface des choses s'anime, brille et nous parle. La surface est désirable et intelligible. Elle est à la fois le signe et le résumé du contenu. Elle est la forme insaisissable et cependant certaine, transparente comme le verre et forte comme une armure. Comment s'en iraient les êtres, comment seraient-ils distincts les uns des autres s'il n'existait cet intervalle, ce hiatus sans plus d'épaisseur que la peau qui les sépare et qui les nomme ? Les plus lourds sont tenus dans un dessin, dans une ligne, qui peut être une lettre, un chiffre, comme la distance transforme un astre en un point.

Toujours sur cette balance je me tiens. L'instable est ma destinée, mon repos. Ce qui est contradictoire devient le même : le mouvement et l'immobilité, la durée et l'instant.

Un espace sans bord contient tout et se dépasse. J'y suis, je ne suis déjà plus.

★

Je connais un tout petit jardin du pays de France, au sommet d'un bourg qui fut, au Moyen Âge, une ville très disputée, souvent détruite et reconstruite.

Ce jardin était autrefois occupé par une chapelle qui, sans doute, était entourée de quelques tombes. La chapelle ayant été détruite il y a plus de cent cinquante ans, le terrain, retourné et dégagé de ses restes humains, est devenu un clos charmant, plein de fleurs, de pommiers et d'oiseaux.

Lorsque j'y viens me recueillir en été, à cette heure du soir où le pré est encore à moitié au soleil, à moitié gagné par l'ombre, sans effort et d'un seul élan je fais la jonction entre les deux appels de la conscience : celui d'en bas sous la terre, celui d'en haut vers le libre espace.

Pendant que mon regard s'évade vers le ciel jusqu'à voir au-delà de lui-même et jusqu'à me délivrer du temps, ma mémoire me ramène aux jours où ce jardin paisible était, plus paisible encore, un cimetière, une terre sacrée.

Alors, avec une vitesse incalculable, une vitesse de fusée, là-haut je me vois disparaître, transparent et joyeux, dans l'air sans obstacle et sans limites, en même temps qu'ici, en bas, je sens mon corps vivant passer en un clin d'œil par toutes les phases de la décomposition et de la pourriture jusqu'à n'être plus qu'une poudre impalpable.

En même temps je m'éparpille, et dans l'espace et dans la terre. Une fumée au vent. Une poignée de cendres.

C'est un vertige double et simultané qui m'emporte d'un côté vers les ténèbres de l'enfouissement et de la dévoration, de l'autre vers la lumière absolue, le silence total, l'Être qui se dépasse et se perd.

Qu'est-ce qui nous guérira de vivre ? Qui nous délivrera du cycle de la vie et de la mort, de l'enfer terrestre où les monstres pullulent et guettent leur proie, sinon le dégagement et l'absence ? C'est notre seule certitude, identité parfaite de ce tout et de ce rien qui se sont joués de nous pendant notre vie entière.

Quiguévivre? Quicycle vimor monstrullule désagence?

Identitude jouvière parfétourien.

Le voyage sans retour

I

ICI C'EST ICI

Offerte à la nuit qui de toutes parts nous déborde et envahit le jour lui-même à cette nuit qui nous dessine et nous allonge ici toute chose se tient debout sur son ombre entre un envol toujours futur toujours déçu et la chute vertigineuse ici c'est ici que les solitaires qui se cherchent les peuples déchirés les astres volant en éclats se rejoignent et se passent le mot sans le comprendre ici sur le seuil de ce temple au fronton écroulé autrefois résonnant de conseils aujourd'hui plus éloquent encore d'être muet nous savons qu'il n'y a rien à connaître sinon l'enchaînement fatal des questions lancées à tous les murs d'où ne revient que leur écho et que tout est à redouter des ruses de l'espace car ce triomphe à l'horizon étincelant ce gage l'espérance enfoui dès l'origine au fond de notre espèce n'est plus qu'un vaste oubli d'or et de feu où les poussières de la vie et de la mort pareilles aux nombres-tourbillons dans le creuset des machines géantes ont enfin démasqué cet ordre illusoire ce séjour inutile et superbe sans raison condamné à retourner toujours et toujours sur lui-même cendre et brasier fuite et fureur comme une phrase ressassée.

II

HENNISSEMENT DE L'INCONNU

Cependant que s'obscurcissent et se mélangent à qui
mieux mieux l'erreur le vrai le songe et la raison dans le
grenier des accessoires hors d'usage et de sens démen-
tiel désordre le hasard implacable prend place et
s'impose partout amplement fourni (selon le déroule-
ment d'une suite sans logique et sans frein) de mouvements opposés variables et insensibles qui ne se peuvent traduire qu'en termes de douleur car il est devenu
évident que l'aigle et sa proie font de leur couple
horrible et de leur inséparable agonie la seule clé pour
nos mains tâtonnantes d'aveugles et la seule mesure
possible de ce qui comble à tout casser ce lieu sans lieu
ce dôme autrefois transparent mais qui pour jamais
s'est voilé de conjectures furibondes ce ciel sonore et
infaillible ce recours cet abri peuplé de protecteurs de
démons et d'oracles figures familières jouant leur rôle
et portant leur nom même insulté veilleurs toujours
reconnaissables et toujours prêts à nous défendre aux
frontières sauvages où piaffe où hurle où hennit
l'imprévisible l'inconnu.

III

LES VOLETS

Pendus aux murs de la maison comme feuilles aux branches mobiles mais tenus comme les feuilles au grand marronnier de la place par une matinée tournante incertaine triste et joyeuse d'orage et d'éclaircies les volets les uns ouverts les autres clos ou bien les mêmes tour à tour le vent les ouvre et les rabat comme autant d'oreilles de lapins famille de lapins famille de volets poursuivis immobiles par le vent qui va-vient par le soleil qui s'endort dans un nuage et se réveille dans un courant d'air le bruit des oreilles de bois de lapins toujours battant les volets de la maison jamais lassés d'indiquer l'heure qui s'ouvre et l'heure qui se ferme la présence ou l'absence des habitants de la maison le temps qu'il fait le temps qui passe qui toujours va qui toujours vient toujours revient sinon pour nous qui partirons mais pour tous ceux qui reviendront.

IV

UN REGARD POUR UN SOUFFLE

Tombé soudain là sous mes pas du plus lointain de
cet espace et de ce temps coalisés pour nous confondre
ce faible souffle sur le sol entre le mur et le buisson me
fait trembler d'effroi de joie de gratitude et de vertige
car il contient mais inversée la même charge sans
mesure que mon regard lorsque l'été lorsque la nuit
droit vers le ciel s'élance et plane vidé de poids et de
pensée mon esprit simple et démuni qui ne croit rien
que ce qu'il touche et se sent proche des points d'or
disséminés ici et là même de l'astre le plus pâle et le
plus seul à peine vu ni reconnu sur le gravier et pas à
pas franchi le seuil où rien n'est plus qui nous réponde
je m'aventure hors de moi-même vers ma fin sans
adresser à tant d'énigmes torturantes à ce soleil à cet
amour qui m'ont fait naître et m'ont fait vivre à ces
splendeurs qui vont s'éteindre à ces horreurs qui vont
cesser à cet espoir qui va dormir à toute main que j'ai
serrée à toute lèvre que j'ai bue aucun reproche ni
regret car la souffrance est dépassée car la mémoire est
en deçà du pur instant du seul regard navigateur qui
m'a quitté pour le voyage sans retour.

LA VIE
ET L'ŒUVRE DE JEAN TARDIEU

Né en 1903 à Saint-Germain-de-Joux (Jura), d'un père peintre (Victor Tardieu, 1870-1937) et d'une mère musicienne.

Étude à Paris : lycée Condorcet, puis Sorbonne. Suit, dès 1923, les « Entretiens d'été » de Pontigny, où ses premiers écrits poétiques sont remarqués par Paul Desjardins, André Gide, Roger Martin du Gard. Premiers poèmes publiés par Jean Paulhan, en 1927, dans *La Nouvelle Revue Française*.

Rédacteur aux Musées nationaux, puis chez Hachette jusqu'en 1939. Mobilisé en 39-40. Participe aux publications clandestines de la Résistance et entre, dès la Libération, à la Radiodiffusion française où il exercera les fonctions de chef du service dramatique, puis de directeur du « Club d'essai », du « Centre d'études », du programme « France-Musique », enfin de conseiller de direction.

1932. Mariage avec Marie-Laure Blot, qui fera une carrière brillante de chercheur en biologie végétale (directeur de laboratoire à l'École pratique des Hautes Études).

1933. Publication, dans la revue *Mesures*, d'une traduction rythmée de *L'archipel* de Hölderlin.
  Le fleuve caché, première plaquette de vers (Éditions de la Pléiade).

1936. Naissance de sa fille Alix-Laurence.

1939. *Accents*, poèmes (Gallimard).

1941-1944. Collabore aux publications clandestines de la Résistance (*L'honneur des poètes*, Éditions de Minuit, etc.). Se lie d'amitié avec Pierre Seghers, Paul Éluard, Raymond Queneau, Lucien Scheler, Jean Lescure, Max-Pol Fouchet, René Tavernier, André Frénaud, Guillevic, Loÿs Masson, Pierre Emmanuel, etc.

1943. *Le témoin invisible*, poèmes (Gallimard).

1944. *Poèmes*, frontispice de Roger Vieillard (Le Seuil).

Figures (Gallimard), poèmes en prose évoquant de grands artistes et musiciens français de Poussin à Cézanne, de Rameau à Satie.

1946. Publie dans *L'arbalète* deux courts poèmes dramatiques *Qui est là?* et *La politesse inutile* (premières de ses recherches d'un style théâtral nouveau).

Les dieux étouffés, recueil de poèmes du temps de la Résistance (Seghers).

1947. *Jours pétrifiés*, poèmes illustrés par Roger Vieillard (Gallimard).

1949. Premières représentations de ses recherches théâtrales qui lui vaudront d'être annexé au mouvement dit du « Théâtre de l'Absurde » : *Qui est là ?* à Anvers, mis en scène par le peintre René Guiette; *Un mot pour un autre*, à Paris, chez Agnès Capri.

À partir de ce moment, son théâtre ne cessera d'être joué, en France comme à l'étranger.

1951. *Monsieur Monsieur*, poèmes humoristiques (Gallimard).

Un mot pour un autre, proses burlesques (Gallimard).

1952. *La première personne du singulier*, proses fantastiques (Gallimard).

1954. *Une voix sans personne*, poèmes (Gallimard).

1955. *Théâtre de chambre I* (Gallimard).

1958. *L'espace et la flûte*, poèmes sur des dessins de Picasso (Gallimard).

1960. *De la peinture abstraite*, proses poétiques inspirées par la peinture moderne (Mermod, Lausanne). Désormais, à l'occasion d'expositions ou pour des revues et des éditions d'art, il écrira de nombreux textes et poèmes sur l'œuvre de divers artistes contemporains (Alechinsky, Bazaine, Pol Bury, Dubuis, Max Ernst, Giacometti, Hartung, Max Papart, de Staël, Vieira Da Silva, Villon, Wols).

Théâtre II : Poèmes à jouer (Gallimard).

1961. *Histoires obscures*, poèmes (Gallimard).

Choix de poèmes 1924-1954 (Gallimard).

1962. *Hollande*, textes pour des aquarelles de Jean Bazaine (Maeght).

1967. *Pages d'écriture*, proses (Gallimard).

1968. *Le fleuve caché*, choix de poèmes (collection « Poésie/Gallimard »).

1969. *Les portes de toile*, recueil regroupant ses principaux textes sur la peinture (Gallimard).

1972. *La part de l'ombre*, choix de proses (collection « Poésie/Gallimard »).

182

Déserts plissés, poèmes sur vingt-quatre « Frottages » de Max
Ernst (Bölliger).

1973. *C'est à dire*, poème, avec huit aquarelles originales de Fernand Dubuis (Richar).

Le parquet se soulève, poèmes sur des lithographies originales
de Max Ernst (Robert Altmann).

1974. *Un monde ignoré*, poèmes sur des photographies de Hans
Hartung (Skira).

Obscurité du jour (collection « Les sentiers de la création »,
Skira).

1975. *Théâtre III : Une soirée en Provence* (Gallimard).

1976. *Formeries*, poèmes (Gallimard).

1978. *Le professeur Frœppel*, rassemblant diverses œuvres humoristiques dont *Un mot pour un autre* (Gallimard).

1979. *Comme ceci comme cela*, poèmes (Gallimard).

1983. *Les tours de Trébizonde*, proses poétiques (Gallimard).

1984. *Théâtre IV : La cité sans sommeil et autres pièces* (Gallimard).

Des idées et des ombres, illustrations de Pol Bury (Éditions
RLD).

1986. *Margeries*, poèmes 1910-1985 (Gallimard).

Poèmes à voir, illustrations de Pierre Alechinsky (Éditions
RLD).

À paraître en 1987 : *Un lot de joyeuses affiches*, illustrations de Max
Papart (Éditions RLD).

De nombreuses œuvres de Jean Tardieu sont traduites en langues
étrangères, notamment en allemand, américain, anglais, danois,
espagnol, grec, hollandais, italien, japonais, russe, tchèque, turc,
yougoslave...

Principaux ouvrages le concernant : Émilie Noulet : *Jean Tardieu*
(Seghers, collection « Poètes d'aujourd'hui », 1re éd. 1964 ; 2e éd.
1978). Edmond Kinds : *Jean Tardieu ou l'énigme d'exister* (Éditions
de l'Université de Bruxelles, 1973). Paul Vernois : *La dramaturgie
poétique de Jean Tardieu* (Klincksieck, 1981). Jean Onimus : *Jean
Tardieu : un rire inquiet* (Éditions Champ Vallon, 1985).

Jean Tardieu a reçu le grand prix de Poésie de l'Académie française
en 1972, le grand prix de Théâtre de la Société des auteurs et
compositeurs dramatiques en 1979, le grand prix de Poésie de la Ville
de Paris en 1981 et deux grands prix de la Société des gens de
Lettres : pour son œuvre radiophonique en 1983 et pour l'ensemble
de son œuvre en 1986.

Jean Tardieu est Officier de la Légion d'honneur et Commandeur
dans l'ordre des Arts et Lettres.

COMME CECI COMME CELA

LES TOURS DE TRÉBIZONDE

Ce volume,
le deux cent onzième de la collection Poésie,
a été achevé d'imprimer sur les presses
de l'imprimerie Bussière à Saint-Amand (Cher),
le 22 novembre 1991.
Dépôt légal : novembre 1991.
1er dépôt légal dans la collection : octobre 1986.
Numéro d'imprimeur : 3361.
ISBN 2-07-032361-7./Imprimé en France.

54847